Matérialismes d'aujourd'hui

site : www.librairieharmattan.com
diffusion.harmattan@wanadoo.fr
e.mail : harmattan1@wanadoo.fr

ISBN : 2-7475-9637-0
EAN : 9782747596374

Fabien Tarby

Matérialismes d'aujourd'hui

De Deleuze à Badiou

L'Harmattan

L'Harmattan
5-7, rue de l'École-Polytechnique ; 75005 Paris
FRANCE

L'Harmattan Hongrie
Könyvesbolt
Kossuth L. u. 14-16
1053 Budapest

Espace L'Harmattan Kinshasa
Fac..des Sc. Sociales, Pol. et
Adm. ; BP243, KIN XI
Université de Kinshasa – RDC

L'Harmattan Italia
Via Degli Artisti, 15
10124 Torino
ITALIE

L'Harmattan Burkina Faso
1200 logements villa 96
12B2260
Ouagadougou 12

Ouverture Philosophique

Collection dirigée par Dominique Château,
Agnès Lontrade et Bruno Péquignot

Une collection d'ouvrages qui se propose d'accueillir des travaux originaux sans exclusive d'écoles ou de thématiques.
Il s'agit de favoriser la confrontation de recherches et des réflexions qu'elles soient le fait de philosophes "professionnels" ou non. On n'y confondra donc pas la philosophie avec une discipline académique ; elle est réputée être le fait de tous ceux qu'habite la passion de penser, qu'ils soient professeurs de philosophie, spécialistes des sciences humaines, sociales ou naturelles, ou... polisseurs de verres de lunettes astronomiques.

Déjà parus

Emmanuel FALQUE et Agata ZIELINSKI, *Philosophie et théologie en dialogue*, 2005.
Augustin BESNIER, *L'épreuve du regard*, 2005.
Xavier PIETROBON, *La nuit de l'insomnie,* 2005.
Gustavo JUST, *Interpréter les théories de l'interprétation*, 2005.
Jean C. BAUDET, *Le signe de l'humain,* 2005.
Stéphane VINOLO, *René Girard : Du mimétisme à l'hominisation. « La violence différante »*, 2005.
Howard HAIR, *Qu'est-ce que la philosophie ?*, 2005.
Sylvie MULLIE-CHATARD, *De Prométhée au mythe du progrès. Mythologie de l'idéal progressiste*, 2005.
Raymond PERROT, *De la narrativité en peinture. Essai sur la Figuration Narrative et sur le figuration en général*, 2005.
Robert PUJADE, *Art et photographie : la critique et la crise*, 2005.
Jean-Luc PÉRILLIÉ, *Symmetria et rationalité harmonique*, 2005.
Benoît AWAZI MBAMBI KUNGUA, *Donation, saturation et compréhension*, 2005.
Jean METAIS, *Pour une poétique de la pensée : l'art du possible*, 2005.
José Thomaz BRUM, *Schopenhauer et Nietzsche. Vouloir-vivre et volonté de puissance*, 2005.

Du même auteur :

La philosophie d'Alain Badiou, L'Harmattan, 2005

I

Tandem

Communautés ?

Penser le monde ainsi : multiplicité intégrale, tel serait, aujourd'hui, l'enjeu. Le multiple est certainement facteur d'infini, l'inhumain ou le surhumain ; il est implosion de la tranquille sagesse du concept qui croit détenir le trait d'Un du divers. La figure de l'homme est bouleversée ; une invention de soi s'en suit.

Il est certain que la question du multiple a toujours hanté l'histoire de la métaphysique. Les chicanes de l'Un et du multiple occupent déjà Platon ; et il n'est pas exagéré de dire que toute construction conceptuelle eut à maîtriser cette dialectique originaire. Aussi bien peut-on dire que Leibniz, Spinoza, Hegel, *etc.*, eurent à traiter du multiple. Mais ce fut pour le reconduire fatalement à quelque unité finale où il se tenait sagement, jouant son rôle au profit de l'Un qu'il exprimait et qui l'enveloppait. Il fallait du divin, et toute variété était à lui.

A de nombreux égards, l'histoire de la pensée est un tel refus – une telle résistance, plus ou moins consciente – et qui a maintenu à divers niveaux, en dépit même des prodigieuses différences entre les systèmes, l'architecture finalement religieuse d'une pensée de l'Unité et de la Totalité. Le contemporain s'attachera à mettre en évidence le refoulé historique, à en articuler la structure, et à proposer l'inouï d'une pensée capable de soutenir l'équivalence de l'être et du multiple.

Qu'apportera, dès lors, une authentique pensée du multiple, si elle ne doit pas s'en tenir à la guise métaphysique, et si elle doit en quelque sorte en libérer toutes les ressources, celles-ci touchant à la reconstruction du concept, à la conception de l'homme, non moins qu'à la question de l'être ?

Sur la scène contemporaine, quant aux modèles, s'avancent Deleuze et Badiou, les deux maîtres du multiple. L'aura du premier n'est plus à éclairer. Deleuze a élaboré une telle philosophie, montrant tout d'abord comment cette question, celle des différences, insistait dans le matériel conceptuel traditionnel, puis il a élaboré, avec le compère Guattari, un ensemble de dispositifs et de concepts, hétérodoxes et joyeux, à même de nous ouvrir une voie, en deçà de la représentation, vers le monde intense et fulgurant des différences. Tandis – fait naturel – que quelques pauvres loups d'institution, comme toujours, tenaient son entreprise, et ceux qui s'y rapportaient, pour iconoclastes, Deleuze veillait à affermir, d'œuvre en œuvre, de champ en champ, de commentaire en intercesseur, l'originalité et la profondeur de ses vues. Vint par ailleurs une sorte de phénomène de mode, qui fit sortir la pensée de Deleuze du cadre strict de la philosophie, et qui donna au penseur le statut d'un héraut ou d'un chantre de notre temps. Le personnage et le professeur, la scintillation de l'écriture, l'originalité des vues, les domaines divers abordés par Deleuze, tout cela fit beaucoup pour que l'on puisse se réclamer de lui dans certaines expérimentations poétiques ou politiques.

C'est d'une autre manière que l'œuvre de Badiou s'impose. La vive reconnaissance est plus récente, bien que Badiou ait poursuivi avec endurance ses travaux depuis les années 60. Badiou semble d'abord proposer une relecture de la dialectique marxiste, et s'enraciner dans le climat néo-maoïste de cette génération. Il n'en viendra au multiple, comme tel, que par la suite, à partir des années 80-90, et de cette somme qu'est *L'être et l'événement*, poursuivant depuis lors cet effort.

Notons cependant qu'on ne saurait parler à cet égard d'une fracture, comme si les deux aspects de l'œuvre pendaient de leur côté. Simplement, Badiou se dégage peu à peu de la forme dialectique, qui est certes le premier objet qu'il soumet à la multiplicité. Et l'analyse de cette période fait voir combien cet attachement à la dialectique suppose déjà d'inventivité multiple, la *Théorie du sujet* étant à cet égard exemplaire.

Plusieurs publications manifestent la reconnaissance dont jouit actuellement Badiou. Ce sont, exemplairement, les livres anglais de Jason Barker et de Peter Hallward, ainsi que les actes du colloque de Bordeaux, réunissant une pléiade internationale de philosophes autour de son œuvre.

Ainsi nous trouvons-nous au moment d'un partage possible, et d'une différence qui s'avère. Car il y a, assurément, pour celui qui voudrait s'engager dans une compréhension et une pratique de la pensée multiple, une sorte de tension entre les maîtres, qui anime la question : le multiple, oui, mais lequel ? Et comment ? Et quelles conséquences ? Le multiple est à faire, et le choix est ouvert entre ces deux-là, qui en ont conceptualisé différemment la nature.

C'est à cette différence, ou divergence, que je destine cette étude. Celle-ci – cette différence – est fondamentale pour ceux qui, de près ou de loin, étudient ou utilisent des conceptions relatives à l'affirmation du multiple.

Les cathédrales respectives de Deleuze et de Badiou, en effet, mobilisent directement des matériaux ou des tournures de pensée ailleurs en éveil. Il est clair que c'est l'époque en son ensemble qui est travaillée par l'exigence d'un multiple incommensurable. La chute idéologique, la fin des grands récits, tout cela nous a précipités dans une ère où la pensée n'est éveillée qu'à la condition de tenir pour fantomatiques les visées unitaires de toute sorte.

Le créateur contemporain de lignée française, s'il cherche chapelle, a grossièrement le choix entre la Non-philosophie de Laruelle & Cie, la permanence phénoménologique (par exemple J-L Marion) et les assonances du multiple.

Sans doute la situation est-elle plus complexe, et l'on hésiterait – à juste titre – à assimiler l'entité impériale Jacques Derrida à une pensée du multiple. Même remarque pour d'autres, pour Lyotard, par exemple. De fait, ce qui caractérise également Deleuze et Badiou, c'est que l'un comme l'autre écartent la question transcendantale – qui, au sens large, quant au langage, est encore la grande affaire et de Derrida et de Lyotard – pour oser tenir un discours sur l'être comme être ; il s'agit de ceci : le multiple est le monde, effectivement ; le multiple est loi de l'être.

Badiou dit très bien que sa pensée, comme celle de Deleuze, est classique, au sens où l'une et l'autre visent réellement à établir la nature du réel, et s'opposent à la longue rumination néo-kantienne sur l'impossibilité d'atteindre l'être des choses. Le multiple est là ; il est l'être du là. Et il faut oser, à nouveau, penser directement.

Souvenons-nous du geste de Hegel, à l'égard de Kant, préfaçant sa phénoménologie : récusation du détour par le transcendantal, et affirmation que l'absolu, ou le vrai, est auprès de nous. Hegel dit : c'est bel et bien de l'être que la pensée s'empare, et la question de savoir si elle peut l'atteindre est nulle et non avenue.

Si curieux que cela puisse paraître, il y a analogie : comme Hegel en son temps, Badiou et Deleuze redonnent à la pensée ses droits, qui est légitimement pensée de l'être, tandis que, certainement, le génie de Derrida le dispose, en quelque manière, à une sorte de kantisme extrêmement raffiné. La question du transcendantal touche cependant aujourd'hui le langage, partant les possibilités signifiantes et conceptuelles. Et l'analogie ne vaut que grossièrement puisqu'on ne se place dans l'être multiple qu'à la condition de ne pas être dupe des effets hégéliens, véritablement totalitaires et anthropophages.

Mais enfin le commun dédain de Badiou et Deleuze pour le tournant linguistique amorcé à partir de Wittgenstein, pour la philosophie analytique anglo-saxonne, pour la nouvelle sophistique qu'on voit fleurir, en un mot leur refus d'une limitation de l'exercice philosophique à partir de sa réduction à un discours dit relatif, impuissant, ou illusoire, montre ceci : une philosophie du multiple, *stricto sensu*, pense le réel comme multiple, et prétend atteindre l'être – renouvelé – des choses. Ce qui semble bien les distinguer d'une entreprise comme celle de Derrida, qui ne rencontre le réel problématique qu'à partir de la défaillance en même temps édifiante du langage.

C'est bien pourquoi nous nous en tiendrons à ce duel – Badiou contre Deleuze – parce qu'à proprement parler est philosophe du multiple celui ou celle qui affirme : réel = multiple et qui en tire les conséquences. Celui qui méditerait le langage comme une condition préalable à cette saisie raterait ceci que le langage lui-même est sous condition du multiple, ce qui veut dire tout aussi bien qu'il n'est pas en soi un lieu spécifique, encore moins la matrice transcendantale de nos représentations, mais un multiple parmi d'autres dans une situation, pour Badiou ; et pour Deleuze un flux vivant divers, un agencement.

Pour Deleuze comme pour Badiou, l'ontologie sera cette ressource qui permet de destituer le transcendantal langagier de son rôle, finalement, de censeur. On peut et on doit s'ouvrir à la puissance primordiale de l'être, sa multiplicité ; ce qui est requis, pour cela, est une critique de la représentation, qui est tournée naturellement vers une appréhension en Un des choses, et qui se maintient, sous des formes diverses, dans l'histoire de la philosophie.

Il n'y a pas un transcendantal qui interdit l'accès, puisque le langage lui-même peut être pensé selon le multiple. Mais il y a certainement une incapacité de la représentation à se donner le multiple dans toute son ampleur. La représentation de soi et du monde, le réflexif de l'identité subjective et le conceptuel d'universel, reposent tout d'abord sur la certitude d'une sorte d'adéquation naturelle entre un penser abstrait et un être catégorisable.

La représentation stabilise des partages et opère par reconnaissance, distinction. Est représenté ce qui est reconnu et identifié, à la fois par l'ordre de la raison et celui de la langue. Est représenté ce qui est déjà là, et auquel on donne alors une fixité essentielle en le re-connaissant : c'est cela, c'est lui, c'est bien lui. Connaître, c'est alors reconnaître, dans un espace donné, comme si cette reconnaissance épuisait les choses. Langue bien faite, et bonne nature des facultés, l'adéquation entre pensée et être s'exerce alors selon le mirage.

La pensée universalise et catégorise ; penser et repérer sont assimilés. L'être est hiérarchisé, structuré par les réquisits de l'abstraction : mêmeté d'un concept, des étants singuliers qui y sont subsumés, ou d'une catégorie, ainsi qu'Aristote en a établi l'usage. On se donne certes une sorte de pluralisme de la pensée en procédant ainsi, mais qui reste tout à fait étranger à la multiplicité réelle puisque cette pluralité se joue *in abstracto*, à l'aide d'unités pré-établies : au lieu d'en venir aux singularités concrètes, on s'empare d'une sorte de matrice générale : l'être se dirait selon la quantité, la qualité, ou substantiellement ; et chaque étant est exemplaire d'un modèle idéal, conformément à Platon – ou plutôt à un certain académisme de sa lecture, venu de Nietzsche.

Deleuze appellera image dogmatique de la pensée une telle procession. Badiou, de même, n'aura de cesse de montrer que l'on ne pense, en vérité, que pour autant que l'on faille ou supplémente la structure donnée dans une situation. L'un comme l'autre voient dans la représentation, au sens général que nous lui donnons ici, un dispositif secondaire, constitué déjà en dépit du multiple, mais qui se veut premier et exclusif.

L'un et l'autre dénoncent le conservatisme naturel de la représentation, puisqu'elle n'admet que ce qu'elle localise et circonscrit à l'aide de ses généralités. Ni elle ne laisse advenir la nouveauté, et le temps différenciant, pour Deleuze, ni elle ne peut montrer les événements et les procédures événementielles qui excisent les structures pour Badiou. C'est pourquoi, parce qu'elle élimine ce qui du multiple advient comme paradoxe et différenciation, pour Deleuze, comme illégalité structurelle et trou dans le savoir, pour Badiou, la représentation régit les conceptions dominantes et trouve sa finalité pratique dans les valeurs établies.

La critique théorique a donc d'emblée une signification pratique puisque nous nous donnerons du monde une pauvre image tant que nous serons prompts aux identifications paresseuses et d'opinion. L'homme de l'identique est l'homme de la domination, pratiquée ou acceptée.

Chez Badiou comme chez Deleuze, il y aura cet humanisme renouvelé d'en appeler au pouvoir de l'homme. Il y a pour Deleuze des possibilités inouïes d'expérimentation du multiple, une éthique, donc, dans la ligne de fuite de laquelle l'homme découvre une infinité nouvelle où s'abolissent les frontières représentatives du moi et du non-moi, du à-moi et du à-toi, de la nature et de l'homme. Il y a pour Badiou un appel, dans l'animal humain suturé aux opinions et aux structures, à la part capable en lui de procéder à la recréation des états de choses et de langues, et qui est proprement, dans l'homme, le sujet en ce qu'il a de fondamentalement bouleversant.

Pour Badiou comme pour Deleuze, l'homme doit venir à l'infini dont il est capable ; car l'infini est là, il est le monde même, d'ores et déjà et pour toujours. La religiosité d'un Infini venu d'Ailleurs fut certainement un des réquisits de la domination historique, ainsi que Marx, déjà, le notait. S'égaler à l'infini est d'ici, et ne se jouera nulle part ailleurs : telle est la tâche des libres esprits, et de l'homme en général. Mais l'on voit en même temps que cet humanisme est certainement un anti-universalisme, ce qui lui confère un tour particulier. Il ne s'agit pas, en effet, de s'en remettre à l'Homme universel, à une Nature humaine, mais à chaque fois à des singularités nouvelles dont chacun est capable.

La communauté de la critique de la représentation peut être exprimée à partir du matérialisme. Une philosophie du multiple est nécessairement matérialiste en ceci qu'elle récuse la primauté des opérations cognitives du sujet, et la prétendue puissance synthétique de la catégorie même de sujet, celle qui ânonne que moi = moi et qui croit le monde unifié par la grâce d'un Je-pense, d'un Esprit à la fin. C'est bien pourquoi le matérialisme enjambe tout de suite le transcendantal linguistique, qui suppose encore que l'on parte du sujet et de son immersion dans la langue.

Le transcendantal est le circuit fermé et vain des objections que le sujet formule à son propre égard, sans apercevoir qu'il est déjà au milieu, déversé dans l'être. La problématique d'un accès au réel reste idéaliste parce qu'elle présuppose son point de départ dans le sujet, dans les pouvoirs et limites de l'esprit et de son verbe. Elle ne peut que métaphoriser dans la clôture artificielle du sujet la rencontre implosante du multiple, toujours déjà donnée, et ne fait cela que dans la seule dialectique spirituelle d'un être su et insu, là et non-là, phénoménal et nouménal, ou bien intra et extra linguistique. Le transcendantal n'est donc rien d'autre qu'une forme scrupuleuse et pour ainsi dire névrotique de la représentation, celle qui en vient à douter de soi sans pour autant avoir saisi comment sortir de l'illusion du soi.

Sortir de la représentation ne peut se faire qu'à la condition de restituer au monde son immanence, et à l'être son univocité fondamentale. L'être univoque est l'être du matérialisme. L'affirmation de l'univocité peut paraître, à première vue, étonnante, s'il s'agit bel et bien de restituer au monde son caractère intégralement multiple. Mais précisément : s'il n'y a que des multiplicités, et si tout multiple est à son tour multiples de multiples, alors l'être se dit en un même sens, une même valeur, de toutes ses multiplicités. Elles valent également ; elles sont effectivement des multiples de l'être. Alors que toute équivocité revient à dire qu'il y a dans l'être des natures diverses, identifiables, reconnaissables, hiérarchisables. L'arc de la transcendance est dès lors prêt à se déployer, et avec lui, nécessairement, les présupposés dyadiques qui sont extraits de notre appréhension mondaine la plus grossière, puis raffinés dans l'ordre des idées : le haut et le bas, le bien et le mal, le modèle et la copie, l'idéal et le sensible...

Le matérialisme consiste en ceci que l'on se donne l'être comme cette univocité travaillée en tous les sens par les différences. Tout est différence d'une même consistance, d'une même matière. Au contraire, la différenciation équivoque, de type idéaliste, projette d'emblée la multiplicité dans un système de recognition qui ne peut que multiplier des différences déjà abstraites – corps et esprit, qualité et quantité, substance et prédicat – comme si l'on tentait d'atteindre les choses à distance, dans le manoir d'une pensée qui décidément, oui, s'en tiendra à ses passes et impasses. La connaissance tente tout au plus de repérer et marquer les multiplicités, comme le seigneur au château déploie les cartes du royaume sans aller y voir. La belle intériorité reconstruit tout à partir d'un calque abstrait et paresseux, les prétendus pouvoirs ou facultés de l'esprit humain. Mais l'esprit retarde sur les choses.

Le matérialisme est certainement une économie première : un seul nom pour l'être – une seule matière pour les choses – ; mais qui permet dès lors de s'affranchir des catégories idéelles pour affirmer l'être dans le différentiel de sa nature. La nécessité d'en venir au multiple a certes toujours travaillé la philosophie : comment en effet serait-il possible que nous ne trouvions pas dans le cerveau et l'idée des images du multiple, plus ou moins conséquentes ?

Mais, d'une part, le procès métaphysique reste toujours sous la grâce de l'Un, du divin, ramène le multiple à l'Un, l'attribue – il est vrai, comme chez Spinoza ou Leibniz, en s'essayant au grand écart, à la tension maximum que l'Un peut supporter. Il n'est pas si aisé, d'autre part, de s'affranchir de l'Un, si l'Un, justement, peut admettre des niveaux divers, et que les petits dieux pullulent jusque dans le phénomène d'objectivation et dans son usage quotidien, qui me font dire qu'il s'agit d'*une* chose, d'*un* individu, d'*une* espèce, d'*une* heure, ou d'*un* amour. La teneur d'une philosophie ne se joue peut-être pas tant dans la complexité de ses montages que dans quelques décisions élémentaires, des axiomes dit Badiou. Ou bien, dira Deleuze, dans la manière dont on ne cesse de s'orienter dans le milieu, selon que l'on craigne ou non le chaos sous-jacent.

Pour Deleuze, le départ du matérialisme, c'est le grand nettoyage de l'esprit et l'envolée de la faune conceptuelle qui en est l'hôte, assise en phénix sur ses branches, c'est-à-dire sur les structures préétablies, qui sont essentiellement des repères et des habitudes de myope : ou ceci ou cela ; c'est ceci, ce n'est pas cela. Au lieu des disjonctions absolues il faut cette seule chose, qui est justement l'immanence où je suis, et qui fonctionne, pour Deleuze, selon la conjonction infinie des multiples : et...et...et...et... Sans cela, d'ores et déjà, vous vous êtes donnés le factice ou l'artifice de l'Esprit, l'Arbre-esprit et ses dichotomies.

Calque du réel, qui n'a le pouvoir que d'en retenir les impasses, les blocages, les germes de pivot ou les points de structuration au lieu de montrer que ça ne cesse de fulgurer. Le calque ne reproduit que lui-même, l'habituelle lenteur de la pensée de l'homme, et ce besoin de croire que la signification précède le fonctionnement, les connexions entre multiples. Il est le réel absolument appauvri, justement parce qu'au lieu de se le donner comme ce même où tout diffère, il croit l'atteindre par la projection idéelle et générale des binarités cristallisées, ou même dialectisées, dans l'humaine boîte crânienne, et dont on tirera le parfum de l'Esprit : avant/après, bien/mal, haut/bas, ceci/cela.

Comme le dit Deleuze, bien que notre cerveau soit rhizomatique et non pas arborescent, bien qu'il soit lui-même une multiplicité, un système probabiliste incertain, et non une matière enracinée et ramifiée, nous restons le plus souvent là, vous et moi, par faiblesse et bêtise, avec, littéralement, un arbre planté dans la tête, c'est-à-dire un système dualiste, hiérarchique, où l'Un préalable se divise en deux par séries, et où les multiplicités ainsi feintes ne font pas l'herbe folle du réel, qui est sans centre ni général, sans commencement ni fin, sans filiation, mais alliances et connexions.

Mais si Badiou et Deleuze sont les grands matérialistes de l'époque, leurs accointances ne cesseront, *of course*, de dissoner. En même temps que s'élaborent des accords, ne cessent de paraître les différends et divergences. Guère étonnant.

Quant au matérialisme, l'-isme supposant d'emblée beaucoup de traits divers (quoi de commun, par exemple, entre Epicure, Diderot et Marx ?), le mieux est peut-être de noter, entre Badiou et Deleuze, une différence de cœur et une divergence de fond. Assurément, Deleuze ne peut qu'affirmer son matérialisme, si cette option revient à l'univocité différentielle de l'être, et à la critique des postulats idéalistes de toute sorte. Exemplairement, *L'Anti-Œdipe*, peut-être le plus ouvertement matérialiste des livres de Deleuze et Guattari : critique de l'idéalisme freudien, élaboration franche d'une psychiatrie matérialiste, c'est-à-dire d'une psychiatrie des fonctionnements et non du symbolisme, des machines du désir plutôt que du théâtre freudien ; et puis cette fonction révolutionnaire sans illusion mais toute de gaieté et de désobligeance qui parcourt l'ouvrage, et qui est à mes yeux consubstantielle à la tâche d'être un matérialiste conséquent. Mais la thématique matérialiste semble être pour Deleuze, d'une manière plus générale, un nom possible du multiple et de l'immanence : nulle insistance, chez lui, sur ce qui pourrait le relier à cette tradition – et peut-être est-ce finalement pour lui une évidence, plus qu'un domaine de lutte, s'il s'agit de créer, en philosophie, et non de débattre, comme il l'a souvent affirmé.

Au contraire, il y a chez Badiou un attachement certain à l'affirmation du matérialisme, jamais démenti, et qu'on trouve au travail dans la jeunesse de son œuvre, puis dans l'importante *Théorie du sujet*, non moins que dans la suite. Badiou traverse la dialectique marxiste et en vient au multiple, faisant entendre par deux fois, au nom d'un matérialisme plus exigeant et cohérent, à quelle puissance de transformation des concepts il entend soumettre et Marx et Deleuze.

D'où la divergence de fond : Deleuze voit dans le matérialisme, sans plus, un nom du multiple ; tandis que Badiou veut reconduire l'élaboration du multiple à des conditions authentiquement matérialistes. Insistance : ira-t-on du multiple au matérialisme ou du matérialisme au multiple ?

On peut être sensible à la question à partir de motifs qui restent emprunts d'une sorte de sentimentalité du concept ; et qui risquent fort, en effet, d'être la première impression de lecture comparée.

Quel multiple voulez-vous ? Deleuze l'enchanteur en appellera au vibrant du multiple, à l'intensité et au virtuel, au désir agençant toute chose ; un monde de plénitude se dessine, scintillations et différenciations, n'ayant pour limite que le chaos des vitesses infinies – et l'homme se trouvera en renonçant à se fonder pour s'établir dans sa production d'inconscient même, qui sera son devenir multiple, qui est aussi fusion de l'homme et de la nature, le côté franchement rousseauiste de Deleuze. Et puis, de lignes de fuite en lignes de fuite, faire éclater, au moins localement, le réel dominant et ses pouvoirs d'aliénation et de domination politiques et sociales, faire et refaire le multiple dans l'Un d'illusion généré par la généalogie sociale.

Ou bien *voulez-vous* que le multiple soit constellations froides, toutes actuelles, n'ayant que le vide – l'être poétique de l'étant heideggérien ainsi renversé – pour point originel et terminal, et telles qu'elles se laissent, ces constellations, rigoureusement penser dans la dissémination des ensembles mathématiques ?

Donnant ainsi au multiple cette caractéristique : ontologie = mathématique. Puis, à partir de cette inhumanité révélée en son être, dans une situation toujours locale et suturée à la légalité formelle, l'advenue paradoxale de l'humaine procédure, excisant et supplémentant tout à la fois la matière ontologique des multiples, par la grâce de l'événement indécidable, éclat non-étant, auquel le sujet aura su cependant donner un peu d'être, intervenant et advenant lui-même à ce titre, et qui suffira dès lors à engendrer pour lui la trajectoire infinie et hasardeuse d'une vérité indiscernable dont il sera évanescence fidèle. Soit une théorie de l'événement local, dans le tissu ontologique dont la mathématique est la matière, à partir de laquelle se fait le sujet, qui ainsi en retour transforme la structure, le donné.

Seulement voilà : s'agit-il, quant au multiple, de *vouloir* ? Quel sens attribuer, au juste, ici, à une quelconque volonté ? Certes, les doctrines de Deleuze et de Badiou appellent l'homme à la volonté d'invention. La multiplicité, justement parce qu'elle ne présuppose jamais qu'une structure apparemment unitaire (par exemple l'Etat, l'Histoire, la Famille, l'Inconscient, l'Art, *etc.*) soit autre chose qu'un montage ouvre l'homme à l'infinité des possibilités dont il pourra être capable, s'il le veut, c'est-à-dire s'il oublie ce détestable esprit de finitude dont la métaphysique religieuse l'a paré, et s'il ose s'égaler à l'infini. Toute philosophie du multiple est charge implosante. *Mutatis mutandis*, la fidélité à l'événement dont parle Badiou peut bien s'apparenter à une volonté – à ceci près qu'elle n'est pas un trait subjectif, une vertu préalable mais le concret d'une procédure problématique et militante. De même, le désir positif de Deleuze, qui de connexion en connexion vous livre à l'intensité, à l'ailleurs, à l'expérimentation d'un corps qui ne serait plus structuré par l'exigence sociale unitaire, aux voyages, et finalement à la nature retrouvée peut bien être une volonté – mais alors trans-individuelle, non égotique.

N'empêche : ne reste-t-il pas à distinguer ce qu'est le multiple et ce que nous voulons qu'il soit ? Or, et pour s'en tenir pour l'heure à ce point, c'est bien là qu'entre Deleuze et Badiou le choix se fait entre une sorte de surhumanité (Deleuze) ou d'inhumanité (Badiou) du multiple. Qu'est-ce à dire ? C'est dire que pour le premier le multiple naturel est ce que nous avons à faire en nous, la puissance supérieure avec laquelle entrer en communion, et que le destin historique de l'homme fut de nier ; tandis que pour Badiou, si le multiple est la condition primitive dans laquelle l'homme se trouve configuré, celui-ci, comme tel, est cette neutralité a-signifiante et vaine dont le mathème recueille l'inflexible légalité. A peine – bien qu'à l'infini – nous échappons-nous du vide de l'être pour entrer dans le vide de la vérité dont nous procédons.

La question est alors celle de la lucidité, et celle-ci écarte aux extrêmes Deleuze et Badiou. Deleuze ne cessera d'affirmer la plénitude intégrale de la Nature, qui sera modèle pour l'homme. Badiou maintiendra le vide, l'endurance à laquelle celui-ci nous convoque et nous astreint ; et il ne jouera d'aucune flûte de Pan : pas même n'y a-t-il pour lui de Nature, globalité du multiple, mais seulement la prolifération sans fin de l'indigence de l'être. Et voilà bien la chose même : évaluer le fantasmatique dans l'ontologique, en ce qui concerne Deleuze ; s'interroger sur la radicalisation de la doctrine, d'abord lacanienne, d'un réel a-sensé, en ce qui concerne Badiou.

De fait, la communauté se change en affrontement certain. Mais Deleuze, ainsi, fantasme-t-il le multiple, ou en fait-il apparaître réellement la fécondité dernière ? Ecrit-il le multiple ou le désir du multiple, quand bien même il affirme l'identité des deux ? Ne reviendra-t-il pas sur ce rousseauisme du multiple quand, dans *Mille Plateaux*, il dessinera cette inflexion consistant à faire de l'expérimentation du multiple cette sorte d'art sachant jouer aussi avec l'unitaire, évitant de prendre absolument la binarité du mauvais Un et du bon multiple – en effet le dernier avatar du dualisme à l'intérieur d'une philosophie du multiple – et quand, finalement, il en viendra à cette sorte d'éthique de la prudence, dans la ligne de fuite, toujours inattendue mais mesurée ? Aussi bien, alors, se confronte-t-il à ceci : jusqu'où l'homme peut-il s'égaler au multiple naturel sans devenir chaos et se disloquer plutôt que se démultiplier ?

Il y a certainement – puisque la philosophie est *aussi* une littérature – un point que Deleuze reconnaît parfaitement dans toute pensée, et qui est la manière dont l'affectif pénètre le concept. Quelle que puisse être, donc, la manière dont chacun de nous reçoit immédiatement les images biologiques ou cosmologiques qu'induisent à l'opposé les pensées de Deleuze et de Badiou, on ne saurait s'en tenir quitte à coups de vouloir. La question n'est pas : que vouloir du multiple ? La question est : qu'est-ce que le multiple ? Et on s'en tient certainement à un plan pré-philosophique lorsqu'on ne veut point sortir de Deleuze pour s'en aller voir Badiou au nom de quelque légèreté, quelque fondamentale gaieté immanente au maître. Il faut, de toute urgence, endurer Badiou.

Première esquisse des modèles du matérialisme contemporain : être univoque de l'effervescence, du dynamisme, des intensités différenciantes. Vitalisme renouvelé de Deleuze. *Versus* : être univoque des multiplicités calculables et légales, qui induisent rigoureusement l'infinité de ce qu'il y a d'incalculable dans leurs proliférations et leurs disséminations. Mathématisme de Badiou.

Plénitude du multiple ou vide en bout de course.

Quand Deleuze et Badiou s'expliquent

Reprenons – et clarifions – les convergences entre les maîtres.

1. Une pensée pour notre temps est pensée du multiple. L'Un n'est que la forme sous laquelle se maintiennent aujourd'hui l'abstraction et le préjugé philosophico-religieux qui furent les dominantes de l'histoire de la pensée et des hommes.

2. On peut et on doit élaborer une ontologie de la multiplicité. Tous les discours sur la fin de la philosophie, prétendument achevée par l'herméneutique de Heidegger, ou délestée de tout contenu propre par le développement des sciences humaines, toutes les tristes conceptions de la philosophie qui l'astreignent au transcendantal, ou à l'humilité vicieuse de la grammaire et de la philosophie analytique sont nuls et non avenus.

3. Une ontologie de la multiplicité s'accomplit donc dans l'univocité et l'immanence de l'être, qui seules éliminent la croyance aux transcendances de toute sorte, et la configuration faussement différentielle d'une hiérarchie et catégorisation de l'être.

4. Transcendantal rationnel ou langagier, ou recours aux transcendances et équivocité catégoriale de l'être, voilà autant de formes idéalistes auxquelles il conviendra d'opposer le matérialisme contemporain.

5. Multiplicité, univocité, immanence ne s'acquièrent qu'à la condition de dépasser la représentation (la reconnaissance identifiante) afin de s'ouvrir à la singularité et à l'événementialité, c'est-à-dire, nécessairement, à ce qui interrompt représentations et structures.

6. Le but d'une philosophie du multiple est d'élever l'homme à l'infini dont il est capable, ici et maintenant, contre les discours de la finitude humaine.

7. Un tel projet active des visées révolutionnaires. La mort de Dieu n'est pas, d'ores et déjà, commensurable à la plupart des attitudes, des institutions, et des conceptions humaines : L'Un et la Transcendance régissent encore largement, sous des formes diverses, la vie humaine.

Les divergences, elles, se cristallisent dès maintenant autour d'un matérialisme du flux, de la vitesse, de la virtualité, de la scintillation, de la connexion, de l'intensité ; en un mot, autour d'un modèle physico-biologique qui débouche, chez Deleuze, sur l'affirmation d'une (vraie) Nature à laquelle l'homme doit s'égaler pour expérimenter en lui les ressources du multiple, plénitude (pré-réflexive) dont la cruauté sociale, la paresse intellectuelle, la croyance au sujet et au moi, les systèmes de dominations ont coupé l'homme.

Tandis que le matérialisme de Badiou est d'abord formé par un mathématisme du multiple, c'est-à-dire par une structure légale infinie, anonyme, dépourvue en elle-même de toute force vibrante, de toute virtualité ou énergie ; déploiement stellaire d'ensembles dont la rigueur mathématique est aussi bien l'inhumanité même, et qui n'a pour dernier mot que l'inconsistance et le vide sous-jacent, figure déniaisée – en particulier par rapport à Heidegger – de l'Être.

Cette actualité structurelle présente à l'homme l'in-su de son su : le vide et l'infini viennent toujours relativiser toute structure, symptômes de l'inconsistance de toute consistance, marques d'un multiple incommensurable à toute détermination absolue. C'est pourquoi, dans la structure, l'homme ainsi strictement suturé est puissance événementielle, c'est-à-dire capacité errante à déstructurer et restructurer l'inertie au nom de l'advenue illégale, de la reconnaissance d'un événement – auquel il peut toujours, dans son parcours temporel et militant, être fidèle. Badiou nomme Vérité un tel parcours, par lequel la signification advient, d'être en poursuite de l'indiscernable des vérités.

Le plus simple n'est-il pas, avant de détailler, de s'en remettre à la manière dont Badiou et Deleuze auraient pensé leur rapport ?

Mais l'explication vint-elle ?

Deleuze dit peu de l'œuvre de Badiou. Le peu se tient en deux pages tout au plus, une lecture de *L'être et l'événement* donnée comme exemple dans *Qu'est-ce que la philosophie ?* Badiou proposera après la mort de Deleuze sa propre interprétation du deleuzisme, dans un *Deleuze* qui ne manqua pas, nous allons le voir, de soulever la polémique ; on trouve par ailleurs, dans l'œuvre de Badiou, par exemple dans son *Court Traité d'ontologie transitoire*, mais aussi dans ses premiers ouvrages, des remarques convergentes.

Badiou ouvre son *Deleuze* sur un chapitre intime retraçant les années de cohabitation entre les deux hommes, de part leurs fonctions de professeur à Vincennes. « C'est une histoire étrange que celle de mon non-rapport à Gilles Deleuze » écrit Badiou. De fait, les deux hommes se croisent mais ne se rencontrent pas. Dans le léger tumulte des années 68, c'est « fasciste » contre « bolchevik » : polémiques, « mots de l'artillerie lourde d'alors. »

Badiou refuse l'inspiration « anarcho-désirante » de Deleuze, son apologie du mouvement spontané. Il dirige même une fois une brigade d'intervention dans son cours. Bien que d'abord « impavide, presque paternel », Deleuze se fâchera par la suite pour d'obscures manœuvres institutionnelles, accusant Badiou de vouloir la bolchevisation de l'université. Il y aura cependant quelques échanges de mots, favorables, au fur et à mesure que l'on s'éloignera de la situation de 68. Deleuze saluera le petit livre de Badiou, *De l'idéologie* (1976), et cette somme, en 1982, qu'est sa *Théorie du sujet*. Ils se rejoindront sur la critique des prétendus nouveaux philosophes, ces petits penseurs médiatiques désireux de désarmer la philosophie de tout projet d'émancipation et de lui refuser, au nom des opinions et de l'horreur avérée du stalinisme, la contestation du capitalisme. Mais il n'y aura, jamais, entre ces deux hommes, «

ni dîner en ville, ni visite au domicile, ni pot, ni promenade causante. »

Badiou écrira un article sur le *Pli,* en 1989, livre qui l'impressionne et qui le fascine. A nouveau, Deleuze lui enverra, après lecture de son texte, une lettre « attentive, extrêmement amicale, presque tendre », concluant qu'il est temps pour lui de prendre à son tour position sur ses concepts. « Il achève ainsi de me convaincre, écrit Badiou, que nous constituons, sans jamais l'avoir décidé (tout au contraire !) une sorte de tandem paradoxal. »

En 1991, à l'initiative de Badiou, une correspondance s'établit. Badiou consacre parallèlement quelques séminaires, au Collège international de philosophie, au best-seller de Deleuze et Guattari : *Qu'est-ce que la philosophie ?* Mais Deleuze semble hésiter à entrer de plain-pied dans ce dialogue. Hélas, il y a bientôt la disparition douloureuse de Guattari, et puis la santé précaire qui fait désormais de l'écriture et de la pensée, pour Deleuze, « une très douloureuse et fugitive victoire ». Deleuze écrira qu'il ne pourra faire plus qu'une lettre d'évaluation et de questions. Badiou répond à cette lettre. Mais Deleuze répond à son tour. Et ainsi, cependant, des dizaines de pages s'accumulent. Vers la fin 94, Badiou et Deleuze décident qu'ils ont achevé leur travail, et qu'ils ne pourront aller plus loin dans l'exposé de leurs différences. Mais alors, dit Badiou, Deleuze lui fait savoir abruptement qu'il a détruit les doubles, et qu'il s'oppose à toute éventualité de circulation et *a fortiori* de publication.

Histoire d'une « amitié conflictuelle qui, en un certain sens, n'a jamais eu lieu » conclut Badiou.

En rendant hommage à Deleuze, en écrivant les premières pages de son *Deleuze*, en répondant aux critiques virulentes des deleuziens qui font suite à cet ouvrage Badiou a défini ce qui, selon lui, forme sa communauté avec Deleuze. Nous y retrouvons les aspects plus haut mis en valeur. Ecoutons un peu Badiou :

« Redisons en quoi consiste l'importance exceptionnelle, pour nous, de l'œuvre de Deleuze. Il n'a rien concédé au thème hégémonique de la fin de la philosophie, ni dans sa version pathétique qui la noue au destin de l'Être, ni dans sa version benoîte, qui la noue à la logique du jugement. Ni herméneutique, ni analytique : c'est déjà beaucoup. Il a par conséquent entrepris, courageusement, de construire une métaphysique contemporaine, et lui a inventé une généalogie tout à fait originale, généalogie où philosophie et histoire de la philosophie sont indiscernables. Il a pratiqué, comme "cas" inauguraux de sa volonté, les productions de pensée les plus incontestables de notre temps, et de quelques autres. Il a fait montre, ce faisant, d'un discernement et d'une acuité sans équivalents parmi ses contemporains, singulièrement en ce qui concerne la prose, le cinéma, certains aspects de la science, et aussi l'expérimentation politique. Car il a été un progressiste, un rebelle retiré, un support ironique des mouvements les plus radicaux. C'est aussi à ce titre qu'il s'est opposé aux nouveaux "philosophes", est resté fidèle à sa vision du marxisme, n'a rien accordé à la molle restauration de la morale et du "débat démocratique". Ce sont là de rares vertus. Il a le premier parfaitement compris qu'une métaphysique contemporaine est nécessairement une théorie des multiplicités, et une saisie des singularités. Il a noué cette exigence à celle d'une critique des formes les plus retorses de la transcendance. Il a vu qu'on ne pouvait en finir avec ce qu'il y a de toujours religieux dans l'interprétation du sens qu'en posant l'univocité de l'Être. Il a clairement déterminé que faire vérité de l'être univoque exigeait qu'on en pense la venue événementielle. Ce considérable programme est aussi le nôtre. » (Revue *Multitudes*, n°1).

« Je dirais volontiers que ce qui récapitule toutes ces précieuses leçons, pour celui-là même qui comme moi n'en partage pas le détail ou l'argumentaire, tient en une seule prescription négative : combattre l'esprit de finitude, combattre la fausse innocence, la morale de défaite et de résignation contenue dans le mot "finitude", et dans les lassantes proclamations "modestes" sur le destin fini de la créature humaine [...] Oui, la ligne de front dont je parlais plus haut, celle où il se tient avec nous, et par là même s'affirme un contemporain capital, est celle-là : que la pensée soit fidèle à l'infini dont elle dépend. Qu'elle ne concède rien au détestable esprit de finitude. Que dans l'unique vie qui nous est impartie, insoucieux des limites que le conformisme nous assigne, nous tentions à tout prix de vivre, comme disaient les anciens, "en immortels". Ce qui veut dire : exposer en nous, autant que faire se peut, l'animal humain à ce qui l'excède. » (*Magazine Littéraire,* n° 406).

Maintenant, quelle lecture Deleuze, au juste, fait-il de Badiou dans le chapitre qu'il consacre dans *Qu'est-ce que la philosophie ?* à la distinction entre la philosophie créatrice de concepts, et la science établissant des fonctions, et des états de choses ?

Après avoir expliqué que les concepts de la philosophie sont irréductibles aux fonctions scientifiques et logiques parce que les premiers font entendre la virtualité et l'événementiel par lesquels se dessine de manière toute relative et transitoire la détermination et le référentiel d'un état de choses, d'un objet, d'un corps ou d'un vécu, une fonction, justement, Deleuze affirme qu'une telle comparaison, entre concepts événementiels et fonctions référentielles, « semble correspondre à l'entreprise de Badiou, particulièrement intéressante dans la pensée contemporaine. » (143).

Pour esquisser au préalable une présentation moins deleuzienne, je dirais que, dans l'économie générale de son chef-d'œuvre, Badiou construit tout d'abord le structurel des ensembles, suivant rigoureusement les développements de la mathématique contemporaine, définissant ainsi, selon lui, la légalité multiple du monde ; mais cela pour en excepter l'événement : la possibilité de celui-ci s'inscrit localement à partir d'un site événementiel, disons une structure et une légalité hantées par un vide sous-jacent qui nous préparent ainsi à la venue d'un trait évanouissant et d'une fulgurance non-étante qui caractérisent, de fait, le régime d'exception de l'événement. Le site est ce que la structure peut apercevoir de l'événement, en le situant dans l'infinité multiple.

Mais l'événement, lui-même, bien qu'ainsi toujours localisable, reste indéterminé ; il excède les ressources de la présence, à la fois la faille et la supplémente. Son appartenance à la structure est indécidable ; son exclusion et l'affirmation de sa non-existence sont toujours possibles, eu égard au multiple structuré.

L'événement n'a d'être – paradoxal – qu'à la condition qu'un sujet intervienne, le reconnaisse, le qualifie, et devienne fidèle, dans la trajectoire situationnelle se poursuivant, à son avoir-eu-lieu. Aussi bien le sujet se construit-il à la délicate jonction entre l'effet événementiel et la multiplicité légale, si bien qu'il n'est pas le maître pré-constitué, un pouvoir de recognition déjà là, mais joue son être même, entre l'immanence de la légalité qui l'englobe de toute part – sa matière, celle du monde – et l'irruption événementielle qu'il soutient, militant temporel et durable, dans la quête irrésolue de la vérité de cet événement, procédant concrètement à l'investigation des multiples traversés et connectés à cet événement qui a bouleversé la situation. La vérité d'un événement est ainsi non pas du tout un sens du sens mais un trou dans le savoir, ou un ensemble multiple absolument indéterminé, mais qui suffit à nous mettre, à l'infini, en errance de sens. Badiou, dès lors, affirmera qu'il y a, pour l'homme, quatre types de procédure événementielle : l'artistique, la scientifique, la politique, et l'amoureuse, qui ne sont pas des contemplations mais des productions dans l'étoffe matérielle multiple. Badiou nomme ces procédures des fidélités.

Deleuze dit qu'il conçoit l'ensemble badiousien comme une « base, neutralisée par rapport aux concepts aussi bien qu'aux fonctions. » Dès lors, il lit *L'être et l'événement* comme l'écriture d'une ligne, « unique bien qu'elle soit très complexe

», qui va disposer les fonctions objectivantes, d'une part, et les concepts virtuels, d'autre part, à partir de cette neutralité multiple.

Voici ce qu'en retient Deleuze :

1. L'événement est pour Badiou le concept philosophique, effectivement irréductible aux fonctions que l'on pourrait déterminer à partir du multiple en soi, c'est-à-dire à partir de la base neutralisée – les différentes structures légales.

2. Les procédures événementielles sont, elles, des fonctions, dans la mesure où elles se rapportent à l'événement selon les structures dans lesquelles elles travaillent. Certes, ce sont des fonctions qui vont vers l'indéterminable, le générique comme dit Badiou, puisqu'elles existent à partir de l'indécidable de l'événement et en vue d'une vérité indiscernable. Mais c'est là, de toute façon, pour Deleuze, le propre de toute fonction, dans la mesure où le référentiel qu'elle explicite, donnant un état de choses dans un système de coordonnées, n'existe qu'à partir du virtuel dont la fonction est la simple et réductrice actualisation.

3. Vient alors le soupçon selon lequel « sous l'apparence du multiple » Badiou laisserait flotter la philosophie dans « une transcendance vide », dans un « concept inconditionné qui trouve dans les fonctions la totalité de ses conditions génériques. Retour à une vieille conception de la philosophie supérieure ». Pourquoi cela ? Parce qu'il semble à Deleuze que Badiou partage l'être des choses selon le concept proprement philosophique – l'événement irréductible aux fonctions –, d'une part, selon les fonctions dévolues à l'art, la politique, l'amour, le scientifique, d'autre part ; cela comme si la philosophie, seule, rencontrait dans son corps glorieux le virtuel et l'événementiel, tandis que l'art et la science, la politique et l'amour adviendraient à partir de cet événementiel proprement philosophique.

A partir d'une multiplicité quelconque présentée comme ensemble, « les fonctions et le concept vont s'échelonner, écrivent Deleuze et Guattari, celui-ci au dessus de celles-là ». Il y aurait pour Badiou, selon Deleuze, deux types de multiplicité, la multiplicité événementielle et philosophique, « au dessus de l'autre », et puis la multiplicité fonctionnelle ou légale des trajectoires fidèles de l'art, la science, la politique, l'amour.

4. Or, parce que « les multiplicités, il en faut au moins deux, deux types, dès le départ », parce que « la multiplicité, c'est précisément ce qui se passe entre les deux », les deux types ne peuvent être dans un tel rapport de dépendance et de hiérarchie que Deleuze croit déceler chez Badiou.

Pour Deleuze, en effet, comme en témoigne l'entièreté du discours de *Qu'est-ce que la philosophie ?*, les fonctions et les concepts, l'actuel et le virtuel, ne se distribuent pas sur une ligne commune mais ne cessent de se croiser, comme deux « vecteurs » par lesquels les états de choses actualisent le virtuel tandis que l'actuel est sans fin, à nouveau, comme absorbé par le virtuel.

5. Finalement, Deleuze dira abstraite la pensée qui se donne « *une* multiplicité quelconque », celle que Badiou identifie à l'ontologie des ensembles mathématiques anonymes.

Il y a là beaucoup de choses, et, à vrai dire, pas mal de malentendus pour qui a quelque peu pénétré le sens de l'entreprise de Badiou.

En note, Deleuze a cette remarque selon laquelle : « La théorie de Badiou est très complexe ; nous craignons de lui avoir fait subir des simplifications excessives ». Mais la question est-elle celle de la simplification ou celle d'une interprétation qui ne serait pas viable ? Note pour note, Badiou, non sans un brin, justement, d'ironie, écrira ceci : « Si quelqu'un peut m'éclairer sur ce fragment, et sur son rapport réel à *L'être et l'événement*, j'en serai heureux. Véritable appel d'offre, ajoutera Badiou, dépourvu de toute ironie. » Ce commentaire, écrit Badiou, « nous le disons étrange, et non pas du tout faux, ou inexact. Nous n'y relevons aucune inexactitude, seulement une torsion bizarre, un angle de vue impraticable, qui fait que nous ne pouvons comprendre de quoi il s'agit. » (*Multitudes*, n°1).

Ce qui paraît surprenant, c'est que nous n'avons nullement le sentiment, une fois lu le commentaire de Deleuze, que le fond de l'affaire ait été atteint.

Que dit Deleuze, au juste ? Que Badiou se donne une multiplicité abstraite et restrictive dans les ensembles des mathématiques, et qu'il y dessine d'une certaine manière la distinction entre l'actuel et le virtuel, comme légalité et exception, structures et événements. Mais que les procédures événementielles restent liées aux fonctions, puisque tout est pris d'emblée dans ce champ abstrait, et que cette disposition réintroduit une sorte de hiérarchie entre l'événement miraculeux, orbe de la philosophie, et les procédures humaines, par exemple de l'art et de la science.

Tout cela rate l'essentiel, pour Deleuze, qui se tient dans le mouvement incessant par lequel le virtuel et l'actuel (à savoir l'inobjectivable et l'objectivé) s'échangent partout – et non à partir de cette exception légale que serait l'événement humain – si bien que l'espace de travail constitué par les multiplicités ensemblistes est toujours déjà incapable de saisir le fond de virtualité de toute chose.

Le but de Badiou, dit Deleuze, est de comparer la référence des fonctions d'actualisation avec la consistance virtuelle du concept, l'événement ; raison pour laquelle Badiou va montrer l'exception de l'événement. Mais il le fait sur un plan trop anonyme, statique, dépourvu de tout mouvement, légalisant à l'extrême, puisqu'il effectue cette comparaison à partir d'un schéma – le mathématisme – qui est tourné naturellement vers le mode scientifique d'appréhension du réel-virtuel, à partir des fonctions. Badiou montre ce qui n'est pas fonction à partir de la fonction ; alors que, de fait, fonction d'actualisation et concept virtuel ne cessent toujours déjà, dans le Chaosmos, de se croiser. Nulle actualisation – et en particulier celle qui nous fait prendre la multiplicité pour des ensembles mathématiques parfaitement définis – ne serait possible si ne jouait déjà le virtuel dans l'actuel. La pure actualité des ensembles est donc une coupe réductrice qui s'ignore elle-même, et non l'ontologie pure des multiplicités, comme le voudrait Badiou.

Des vapeurs d'illusion s'exhaleraient de la construction de Badiou, dont la principale serait de redonner à la philosophie une place à part, parce que seule à même de délivrer le concept de l'événement, reine lucide des procédures, tandis que Deleuze veut montrer que la science, l'art, et la philosophie affrontent tous les trois à leur manière l'irréductible alliance de l'actuel et du virtuel. Certes, pour Deleuze, la philosophie créatrice de concepts affronte directement le virtuel, puisque c'est là, pour lui, le propre de toute pensée philosophique, établir la réalité fondamentale du virtuel – mais l'art par ses percepts et affects, la science par ses fonctifs ne sont pas moins des pensées qui ne cessent d'avoir à faire au virtuel.

Badiou aurait représenté statiquement le mouvement, exceptionnellement le virtuel, et structurellement l'humaine condition distribuée dans l'art, la science, l'amour et la politique. Ici ou là, encore, dans *Qu'est-ce que la philosophie ?* Deleuze réglera son compte à la notion d'ensemble, fondement de la pensée de Badiou. Bien que Deleuze y ait reconnu, dans son commentaire, une « base neutralisée » par rapport aux fonctions actuelles et aux événements virtuels, neutralité qui permet justement de soutenir la comparaison, il affirmera que loin de constituer l'archétype de la fonction scientifique objectivante les ensembles mathématiques « dépendent des fonctions et non l'inverse », et qu' « il peut être beaucoup trop sommaire de définir ces dernières par des ensembles. » (146). Et il interprétera l'ensemblisme comme un « principe d'arrêt ou de ralentissement », inscrivant « la limite dans l'infini lui-même » (114).

Mais justement : le procès intenté saisit-il que l'intention fondamentale de Badiou est précisément d'évacuer le virtuel et le mouvement, que son ambition propre est de montrer que la multiplicité est, dans son être, toute actuelle, et que l'homme, loin de baigner, comme toute chose, dans le flux naturel, est cette rare exception à l'inhumanité même que tressent les ensembles ? Nul ne peut demander à Deleuze de n'être pas fidèle au virtuel, et nous n'invoquons pas ici quelque aveuglement ou manque d'acuité. Seulement ceci que nous parvenons au plus *intéressant*, au sens même où Deleuze dit qu'un concept ne vaut que par là : est-il possible de renverser de part en part l'inaugural deleuzien de la philosophie du multiple, selon lequel multiplicités = virtualités ? Et que se passe-t-il alors ? La conversion serait telle, le virtuel étant lié à tous les aspects de la pensée de Deleuze, qu'on conçoit bien l'impasse de la correspondance entre les maîtres : en bout de course, il ne reste à Deleuze qu'à refuser les ensembles – multiplicités factices, ou d'ores et déjà mortes – ; et les affirmer, seule ontologie lucide, véritable matérialisme, devient axiome badiousien. Vous voulez que les multiplicités soient des ensembles, je ne le veux pas.

Le Deleuze de Badiou et la meute deleuzienne

La polémique suscitée par le *Deleuze* de Badiou est certainement distrayante ; et la pensée s'assoupirait comme un chien au panier à ne plus susciter, chez les philosophes, d'affectives réactions ; pourtant, je ne suis pas sûr que nous gagnions à nous cantonner au superficiel : Badiou a-t-il le droit – ou non – de lire Deleuze comme il le fait ?

Voyez par exemple lors du colloque international de Bordeaux consacré à la pensée de Badiou, les interventions de haute tenue, mais plus ou moins vengeresses, menées par Juliette Simont et Véronique Bergen – qui cependant s'oriente depuis lors vers une étude comparée de plus en plus fine. Voyez dans les revues *Futur antérieur* (n°43) et *Multitudes* (n°1) les articles d'Eric Alliez et des féroces Arnaud Villani et José Gil. Voyez les comptes rendus, et surtout la réputation rampante de l'ouvrage.

On dirait que tout se joue dans cette question de droit – Badiou sait-il lire Deleuze en vérité, ou en justesse ? – et cela alors même que Deleuze n'avait que juste mépris pour les jugements de droit, et qu'il était donc le premier à faire de magnifiques enfants dans le dos aux Classiques, en les commentant.

Que dit la meute délicate ? En vrac, n'en jetez plus : erreurs de lecture, narcissisme de Badiou, sophismes rhétoriques, raccourcis inadmissibles, coupes sélectives des textes de Deleuze, *etc*.

Mais que dit, en gros, Badiou ? Qu'en dépit de son effort, Deleuze resterait sous les présupposés de l'Un et de la Transcendance, en particulier à cause de son amour de la Nature globale, et de son goût pour le virtuel ; que sa pensée s'ordonne, derrière la concrétude apparente des cas de pensée où Deleuze excellait, à des doublets qui ne cessent de revenir et qui ont finalement pour but d'établir le caractère secondaire des singularités au regard de la Voix universelle de l'Être, l'Un-Tout qui se différencie sans fin. Qu'il y a donc, en un sens, chez lui, un résidu heideggérien.

Nous croiserons dans les dispositifs à venir l'argumentaire badiousien. Recueillons pour l'heure les aspects les plus marquants du droit de réponse offert par *Multitudes* à Badiou. Ces remarques vont nous permettre de dégager les premières lignes de force qu'il convient d'envisager.

Badiou note d'abord que le vitalisme de Deleuze présuppose partout une sorte de supériorité dont Bergson a donné la « variante bourgeoise polie », et Nietzsche « la version sanctifiable » : supériorité du mouvement sur l'immobilité, de la vie sur le concept, du temps sur l'espace, de la création sur l'increé, du désir sur le manque, de l'ouvert sur le clos, *etc*. Autant de « certitudes latentes » qui s'adressent « en chacun, à son inquiétude animale, à ses désirs confus, et à tout ce qui le fait courir aveuglément sur la surface désolée du monde ».

Nous retrouvons notre question : s'agit-il, quand on invoque pour notre temps une pensée intégrale du multiple, de désirer l'immanence telle que nous pourrions la vouloir ou bien s'agit-il du plus difficile, et peut-être de l'impossible : l'endurer telle qu'elle est ? Qui pourra voir sans idoles ? Est-il de l'ordre de l'être – ou de la quête fantasmatique – que la multiplicité soit partout mouvement, virtualité, ligne de fuite, désir ? N'y-a-t-il pas chez Deleuze une prodigieuse extension, ou une mise en métaphore généralisée, des données propres à la connaissance de l'infiniment petit, une sorte de mécanique quantique partout régnante ? Mais alors, justement, et pour s'en tenir au parallèle, peut-on faire, à la manière de Deleuze, comme si la physique quantique était toute la physique, et comme si l'infiniment petit était le fond *vrai* de toute chose ? Un principe de relativité philosophique nous invite plutôt au problème des coexistences : coexistence du monotone de l'échelle humaine et du spin quantique, des feuilles s'agitant dans le vent et du centenaire du tronc, coexistence de la galaxie et de la fourmi, de l'espace d'Einstein et de l'approximation newtonienne... Le chaosmos est-il, à la fin, le phénomène, ou le dernier des arrière-mondes ? Et donc : l'ontologie de Deleuze est-elle un monde voulu ou un monde réel ?

L'Un n'a jamais pu se dire sans le multiple, il est vrai mutilé par-là même, d'avoir à faire dyade et d'être *pour* l'Un ou *à* l'Un, en somme à *Dieu.* Mais la philosophie, bien que trop souvent mystique, a toujours eu pour but, écrit Badiou, de « s'établir dans un au-delà des oppositions catégorielles, et y tracer une diagonale sans précédent ». Dès lors il ne saurait suffire d'affirmer que la vie, le devenir, le mouvement, le virtuel fondent une pensée des multiplicités antérieures à toute division d'origine platonicienne, qui se fait selon l'Un vainqueur et le Multiple factice.

Le problème n'est pas de savoir si l'on cherche à penser au-delà de l'opposition catégorielle de l'Un et du (faux) Multiple ; de fait, toute philosophie se constitue dans l'équivoque créatrice de cet au-delà/en-deçà. Platon, déjà, instruit un tel procès simultané du devenir-multiple – c'est le *Théétète* – et de l'Un-immobile – c'est le *Parménide.* Platon l'érecteur de l'Un, de la Transcendance, et le contempteur du devenir, c'est bien là, encore, une manière de le lire venue de Nietzsche, que Deleuze reprendrait telle quelle, et qui correspond pour Badiou à une sorte de *doxa* de notre époque, à un académisme puéril et superficiel de la novation, comme si on atteignait quoi que ce soit dans l'équation anti-platonisme = contemporanéité. Car la question est de savoir évaluer, dans le détail, ce que vaut et dit telle ou telle assomption d'un au-delà de l'Un et du Multiple, telle ou telle procédure diagonale.

La vie, le mouvement, le virtuel sont des opérateurs qui tirent leur fonctionnalité d'une polémique contre le clos et le fixe prétendus des ensembles, exactement comme chez Bergson où la qualité du temps et de la vie ne prend forme qu'à partir de la position préalable d'un chronologique et d'une matérialité à déconstruire. Deleuze croit-il sortir alors de l'opposition traditionnelle ? Il doit constamment, pour Badiou, invoquer le mauvais Multiple, l'ensemble-multiple incapable de mouvement, le clos, pour faire valoir par opposition la vraie multiplicité, enfin libérée.

Or, il est tout à fait impossible, pour Badiou, d'identifier le multiple censuré, le multiple traditionnel de la métaphysique, celui qui est toujours déjà pris dans les rais de l'Un, au concept pour lui absolument essentiel d'ensemble. Une des réussites majeures de *L'être et l'événement* est précisément de montrer que les formes dyadiques et métaphysiques de l'Un et du Multiple, du Tout et de la Partie, reçoivent leur déconstruction de la théorie mathématique des ensembles, en même temps que s'élabore en elle une description nouvelle et rigoureuse de telles arcanes. Deleuze identifierait toujours l'ensemble à la pauvreté du numérique, en un mot à l'abstrait ; tandis que Badiou tenterait de montrer la richesse immanente au concept.

Badiou nous fait alors une promesse. Les mathématiques, loi de l'être, peuvent nous guider dans l'exploration de toutes les formes multiples, et il y a là une capacité descriptive qui ouvre un chantier immense. Loin que l'ensemble soit le clos, et le mouvement l'ouvert, l'ensemble mathématique neutralise originairement cette différence, justement parce qu'il est en pouvoir de la soutenir dans le détail de sa topologie. Le clos n'est jamais que le dual de l'ouvert, et l'un comme l'autre se laissent régler parfaitement à partir de la neutralité primordiale de l'ensemble.

Deleuze n'ignorait pas, dans *Différence et répétition*, quels effets l'on pouvait retirer, par exemple, du calcul différentiel.

De fait, explique Badiou, la notion de tangente d'une fonction continue pense idéalement une notion empirique comme celle de frôlement, le contact minimal. Idéalement ? C'est-à-dire non pas du tout selon la pauvreté ou l'abstraction dégradant la suprématie de quelque donnée concrète, existentielle, quelque phénomène opulent. Deleuze, bien qu'il ait fait usage des ressources mathématiques, n'aurait-il pas cédé aux sirènes d'opinion, lorsqu'il en serait venu à déployer tant de concepts selon l'intuition ? Sirènes dont le chant aisé revient toujours à dénoncer la pauvreté de la détermination mathématique au regard d'un réel sensible. Sans doute Deleuze n'a-t-il pas fait sienne, comme telle, une telle opinion. Mais au fur et à mesure que les concepts de Deleuze acquièrent, avec Guattari, cette insolente vitalité, ils semblent perdent en Idée et se métaphoriser.

Lorsque Deleuze, par exemple, parle pour le concept d'un survol « à vitesse infinie », ne doit-on pas lui demander de quel infini, au juste, il s'agit ?

Tandis que la théorie des ensembles déploie une hiérarchie ramifiée et complexe de types d'infini. Il faudra, à la fin, nous dire en quoi consistent tant d'analogies, par exemple entre la meute de loups et le rhizome de la plante à tubercules, pour prendre deux aspects célèbres de la pensée de Deleuze.

En réalité, pour Badiou, la mathématique porte à la fois en son pouvoir les schèmes possibles de l'expérience et puis des ressources immanentes qui localisent ces schèmes comme de simples aspects particuliers d'une inspection plus générale. Ce en quoi elle dépasse l'effectivité de l'étant – que cependant elle comprend – pour ouvrir à un discours dicible sur l'être en tant qu'être.

A l'intuition deleuzienne, il s'agit toujours de substituer la lucidité froide et exacte des ensembles, mais qui est d'une richesse sans pareille pour penser la singularité concrète des cas. Ceci au lieu de produire des analogies nécessairement catégorisantes au moment même où la prétention est de donner à voir cette singularité.

Au matérialisme ludique, il s'agit d'opposer le matérialisme sévère. A la mystique naturelle, nécessairement en retour dans le grand jeu de la Nature, il s'agit d'opposer la puissance laïque de la lettre, du signifiant ontologique.

II

Deleuze

Du chaos au sujet – Machines désirantes

Pour Deleuze, l'être est en son fond chaos. Deleuze dit que le chaos chaotise, et défait dans l'infini toute consistance. Tel chaos ne sera pas une donnée, même extrêmement confuse, mais le mouvement des vitesses infinies et des variabilités dont la disparition et l'apparition coïncident. Le chaos est sans synthèse, ne se rapporte pas à un Objet qui le contiendrait, et les rapports entre déterminations y sont impensables, l'une s'évanouit quand l'autre s'ébauche pour disparaître. Autant dire qu'il est le virtuel à l'état le plus pur. Mais sans doute n'y a-t-il nulle expérience révélante du chaos, nul face-à-face entre l'humain et le surhumain ; le cerveau et la pensée ne sauraient accueillir le chaos ; car aussi loin que l'on aille dans l'expérimentation des affects et des idées nous restons des êtres lents, et d'ailleurs désireux, dans les sphères d'opinion et de quotidienneté, de nous protéger du chaos. Les mystiques, quant à eux, cherchent le divin sans voir que le divin est la coquille vide du chaos agissant et immanent, le Chaos immobilisé, dévidé, et instauré dans la dimension supérieure illusoire. Bien plus exigeante sera quête du chaos, où le délire en vient, en approche, à la consubstantialité d'une sagesse.

Bien sûr n'y a-t-il pas de Plan des plans qui offrirait le chaos à la pensée. Bien avant, dans sa plongée, la pensée s'effondrerait sur elle-même et imploserait, nulle détermination ne pourrait se dire, et le système de tous les systèmes ne serait pas seulement une folie mais plutôt ce que nulle folie, même, n'a le pouvoir d'atteindre. Si la folie est la limite de l'homme, la sagesse en est l'au-delà, et la sagesse (du chaos) n'est pas le contraire de la folie mais son impossible. Même la folie ne sait aller jusque-là. Le pauvre Hegel, croyant dominer, ou plutôt faire le Tout, ne l'était certainement pas assez, fou, et il manque littéralement à celui qui voulut être le Christ de la pensée de *n'avoir pu écrire*, alors submergé par la vérité authentique du chaos, plutôt qu'ordonné à sa tranquille dialectique, le passe-passe... Mais alors, à l'absolu, Hegel n'eût été penseur : le philosophe doit savoir qu'il n'y a de philosophie qu'à partir d'une non-philosophie, de pensable qu'à partir de l'impensable, de sagesse qu'à condition de folie, et de plan de pensée qu'à la manière d'une coupe de chaos.

Folie est certainement, cependant, quelque fourre-tout ; puis, nous ne voudrions pas céder à un quelconque romantisme de la folie mal comprise. *L'Anti-Œdipe* est certainement un grand livre d'anti-psychiatrie. Deleuze et Guattari, en inventant la schizo-analyse, ont à cœur de montrer que la psychanalyse n'a jamais pensé la réalité schizophrénique. Mais enfin, il s'agit là d'une ode au *processus schizophrénique*, processus qu'il faudra distinguer du *schizophrène d'hôpital*, justement en souffrances et en hallucinations pour n'avoir pu poursuivre librement ce processus. Le processus est la grande santé ; mais le schizo d'hôpital la victime expiatoire d'une société qui a toujours crucifié l'homme et ses possibles. Il y a une santé de la folie, et il y a un échec de cette dernière, qui présente effectivement le pire : souffrance et destruction.

Le processus schizophrénique, cela dit, est un savoir. Tandis que Freud et ses successeurs – à l'exception de Reich, inspirateur – traitent de la psyché comme d'un théâtre de la culpabilité et de l'interdit, puis définissent le pathologique à partir d'un déséquilibre des facultés psychiques (ne sachant pas trop, d'ailleurs, que faire de la schizophrénie, sinon la rabattre, comme tout le reste, sur cette histoire d'Œdipe, familialiste à l'extrême, bien qu'à vocation universelle) Deleuze et Guattari s'attachent à la nature d'abord schizophrénique de l'homme. La répression sociale a de tout temps, à l'âge primitif, despotique et dans le capitalisme même, mis à mort la puissance schizophrénique. C'est en ce sens qu'il faut concevoir la possibilité du malade schizophrène, à partir des effets du mortifère social, en ce sens aussi qu'il faut lire Freud et montrer en quoi la psychanalyse traditionnelle appartient encore au système de la répression : tu seras œdipianiser car tu es problème sexuel car tu es la honte et l'impossibilité du désir dont notre espèce a reçu la destinée car tu veux dire ceci quand tu symbolises cela car tu es semblable à Œdipe... Tout un système qui bloque la signification plutôt qu'il ne la libère.

Oui, le processus schizophrénique vit la sagesse du chaos, ne se tenant nullement dans l'illusion constituée de la recognition. La psychanalyse tient toujours la constitution du Moi, un Moi ferme, solide, adapté au socius, point trop ça-dique ni sur-moïsé, un modèle d'équilibre ce Moi, pour le but à atteindre.

Corrélativement, théories des névroses et des psychoses s'écrivent à partir du déséquilibre. *L'Anti-Œdipe* descend en deçà, et voudrait révéler qu'avant toute question du sujet, et de son bien-être intérieur, il y a le monde intégralement productif des connexions et disjonctions, il y a le désir agissant qui est fonctionnement naturel et social, il y a ces machines désirantes qui ne cessent de se multiplier et de varier, il y a, enfin, le corps intense et non encore domestiqué par les exigences sociales. C'est de tout cela que le processus schizophrénique fait l'expérience, de cet en-deçà où moi et non-moi, extérieur et intérieur ne veulent plus rien dire.

L'inconscient n'est pas métaphorique, symbolique, comme le voudrait la théorie de Freud, mais productions, distributions, consommations incessantes. La fixation sur le sexuel, sur la jouissance et son rapport à l'impossible, fait d'une machine désirante parmi toutes les autres un centre explicatif despotique et ridicule.

Nous bricolons à l'infini, dans les pensées et les gestes, les actes, les sensations, car nous vibrons de machines en machines, au gré des rencontres entre les flux et les intensités. Et les repères que l'on prend ensuite – nature et société, bien et mal, homme et femme, désir et plaisir, hallucination et réel, pulsions du ça et idéal du sur-moi – viennent définitivement trop tard pour rendre compte, par l'expression, de cette vie désirante immédiate par laquelle on ne cesse de pénétrer et d'être pénétré par le chaosmos tant naturel que social. Le drame familial – Papa, Maman et moi – n'est rien ; Nature infinie, promenade de l'homme qui se mêle à l'eau, aux plantes, aux rayons du soleil, aux dieux et – pourquoi pas ? – à la synthèse, un instant, du hibou et de la lettre W. Le délire est le fond de toute chose ; et c'est ce que le processus schizophrénique sait, ou plutôt vit.

« L'homme touché par la vie profonde de toutes les formes ou de tous les genres, qui est chargé des étoiles et des animaux même, qui ne cesse de brancher une machine-organe sur une machine-énergie, un arbre dans son corps, un sein dans la bouche, le soleil dans le cul : éternel préposé aux machines de l'univers. » (*L'Anti-Œdipe*, 10).

Ecoutons les machines – comment elles produisent : le Ça est littéralement ce qui est, et ce qui est est l'identité du machinal et du désir, de la coupure et de la connexion, des machines avec les machines de machines, si bien qu'il s'agit de comprendre quelle erreur il y a d'avoir dit *le Ça*, l'Instance, à la manière de Freud, car « ça fonctionne partout, tantôt sans arrêt, tantôt discontinu », car « ça respire, ça chauffe, ça mange, ça chie, ça baise » (7).

Voyez, évidemment, pour de plus amples réalités, Joyce et son Odyssée.

Tout point est lignes, directions et vitesses. Le point est un abstrait, dont la possibilité même réside dans l'actualisation forcenée du virtuel. Voyez-vous des points partout ? Et accessoirement des vitesses ? C'est que le réel dominant règne par l'opinion et la construction sociale et que le réel caché ne vous est pas donné sans risque ni réflexion. Aussi bien, l'expérience de la drogue vous l'enseignera – à vos risques et périls –, qu'il y a derrière tout point lignes, directions, vitesses et connexions, disjonctions, et elle ne diffère pas en son essence du processus schizophrénique ; là où il y avait habitudes lisses, et comptines quotidiennes, ça advient, et c'est profondément bouleversant, le sentiment de voir enfin, d'entendre enfin, de penser enfin, d'être ainsi traversé par toute chose, en même temps que déversé dans l'infini. Deleuze consacrera des textes intelligents à cette question dans *Mille*

Plateaux. N'en faites pas pour autant quelque dealer. De même que le schizo d'hôpital est douleurs, le drogué est l'immobilité létale d'une obsession qui finit toujours mal. Le multiple peut se conquérir à l'eau pure, et avec des moyens simples. L'amour du chaos n'est point un nihilisme. Il y a une vérité des folies, mais l'éthique des multiplicités ne coïncide pas avec la dislocation de l'humain. Nous verrons qu'il y a de l'ascèse et de la mesure dans l'éthique deleuzienne, et que l'on ne saurait reconduire Deleuze à ce genre de courte pensée, au mieux à la voyance rimbaldienne.

Ce qu'il faut retenir c'est que l'inconscient, bien compris, est cette production naturelle qui chaotise, et non ce théâtre idéaliste qu'a voulu Freud, tragico-comique, du triangle œdipien : Papa, Maman, et moi. Un triangle, du reste, serait, quant au psychisme, le fond de toute chose ?

Mais l'infini précède toute forme, et le mouvement toute découpe.

La vérité du processus schizophrénique est donc la vérité de la nature chaotique ; la société et la pathologie doivent être comprises à partir de celle-ci, et non l'inverse : ce dont nous manquons est la vérité du multiple. Si le chaos ne peut être la destination directe de l'homme, si le multiple et le virtuel sont de toute façon inséparables de l'actualisation, de la cristallisation, et des structures apparemment unitaires où la multiplicité œuvre, l'opinion vaudra toujours moins que l'approche du chaos, parce qu'elle en reste à la bêtise ontologique. Ce qu'il faut, c'est savoir pratiquer une coupe de chaos, dresser un plan d'immanence et c'est là, aussi bien, ce que l'art, la science, et la philosophie, chacun à sa manière, savent faire.

Le chaos est certainement ce non-sens hantant le fond même de notre existence. Mais non-sens agissant, dont la projection idéaliste dans quelque négation du sens ou concept contradictoire, tel le cercle carré, ne donne nullement... le sens. La *Logique du sens* montrera d'abord que c'est en parvenant aux paradoxes – à la fantaisie d'*Alice au pays des merveilles,* c'est-à-dire à la logique d'inverse de ce strict logicien que fut par ailleurs Lewis Carroll – que nous parvenons à la genèse de la signification. Toute signification est en effet réduction d'un paradoxe sous-jacent. Alice, joyeusement, chaotise, virtualise. Mais il faudra surtout tenir ce non-sens hors du cadre réducteur de la signification bien fondée ou mal fondée, des problématiques logiciennes et analytiques. Le non-sens n'est pas l'idée auto-contradictoire, même si la pente idéaliste, dans son inspection, le rencontre ici, quand l'idée implose sous l'effet de cette charge de virtualité impliquée dans toute actualité essentielle et qu'elle ne peut contenir, l'idée, une telle infinité dans la découpe et la limite de son essence – ce qui finit toujours par advenir. Le non-sens est d'abord la production même du sens, qui n'en est que l'inévitable ralentie, le repérage partiel : plutôt que de non-sens, il faudrait parler d'une a-signifiance productrice par laquelle, du virtuel à l'actuel, de l'actuel au virtuel, les états de choses se font et se défont, les flux coulent et sont coupés, les machines se connectent en même temps qu'elles disjonctent.

La vie naturelle précède toute signification, tout partage entre le sens positif et son corollaire, le non-sens conçu, pauvrement, comme son négatif ou sa limite ; car telle est la catégorie authentiquement matérialiste de production.

Bien loin que la production dépende d'un but, ou d'une représentation, d'une idée à la fin, c'est la signification qui doit être comprise comme une certaine production, machines agencées entre les mélanges de corps réagissant les uns sur les autres et les actes et énoncés, les transformations incorporelles s'attribuant aux corps, contenus et expressions n'en finissant pas de s'échanger. Bouches, ou machines à vent, à absorber, à déglutir, et à parler, cette dernière machine, qui cependant ne peut être abstraite des autres, nous renvoyant certainement au centre de l'expérience qui se tire d'avoir à être humain.

Aussi bien peut-on dire, dès lors, que les machines désirantes ne fonctionnent qu'en dysfonctionnant ; la nature n'est ni une réussite, ni un échec, mais une somme qui ne réunit jamais ses parties en un tout, et qui précède le rapport objet-sujet : il y a l'œil et la lumière, la guêpe et l'orchidée, le sein et la bouche... « Tout fonctionne en même temps, mais dans les hiatus et les ruptures, les pannes et les ratés, les intermittences et les court-circuits, les distances et les morcellements » écrivent Deleuze et Guattari. Toute jonction est en même temps une disjonction, coupure et flux étant inséparables. Si bien que le naturel est ce qui branche et marche avant toute question de finalité – pourquoi ? – avant toute évaluation – est-ce que ça marche, est-ce que ça marche bien ou mal ? –, et, de même, avant toute causalité – ça marche à cause de, ça marche parce que...

Du sujet, *L'Anti-Œdipe* rendra raison à travers la théorie des trois synthèses. Synthèse connective de la production, telle que nous l'avons aperçue, dont le principe est celui du « et puis... et puis... et puis... », lorsque les machines se branchent et se coupent, étant encore des machines de machines. Mais une telle production suppose en même temps un référentiel sur lequel s'inscrire, une surface qui n'est pas elle-même à proprement parler une production, bien qu'elle ne se distingue pas des couplages incessants, contrairement à un espace vide se différenciant d'abord de ce que l'on y gravera. Deleuze et Guattari parleront d'un corps sans organe, le Cso, dont l'ajustement conceptuel est pour le moins complexe.

Le Cso est certainement le corps comme intensités pures, comme passages sur sa surface indifférenciée de telles intensités de production, bien en deçà d'une organisation en termes d'organes et de fonctions, biologiques, médicales et sociales, qui reconstituent un corps d'organes. Artaud, par exemple, dans son processus schizophrénique, qui est savoir du Cso, souffre de cette vérité d'un Cso mutilé, salopé, encagé par les supplices de ces « organismes qui sont les ennemis du corps ». Paranoïa est justement ce qui naît d'un insupportable rapport entre le Cso et des machines désirantes sociales aliénantes, répressives, limitatives dont le Cso ne veut plus, bien qu'elles s'inscrivent sur lui et bloquent sa puissance de flux. Voici ce que doivent être, ce que sont : tes yeux, tes mains, ta bouche, ton flux de parole, de pensée, et de sperme, et ton cerveau, et le reste... si bien que c'est parce que le processus schizophrénique naturel est interrompu par la répression – répression qui elle aussi est machines, mais obtuses, globales, et de mort –, et parce que le processus schizophrénique est sensibilité extrême au Cso, qu'une production de schizo d'hôpital est possible et qu'il se mêle, d'un point de vue nosologique, beaucoup de paranoïa dans l'entité nommée cliniquement schizophrénie.

Mais le Cso, d'autre part, peut bien être dit improductif, puisqu'il ne préexiste pas aux productions qu'il enregistre, qui le forment et le déforment. Il est l'immanence réceptive de l'immanence active, l'identité du produire et du produit, et non une transcendance vide et préalable qui habiterait le cœur de l'immanence. Aussi bien y aura-t-il autant de Cso qu'il vous plaira, dès lors que vous considérerez l'enregistrement d'une production : un Cso de la Nature, un Cso du corps humain, et un Cso social.

Pour s'en tenir à la constitution du sujet, nous toucherons à la deuxième synthèse, la synthèse disjonctive, quand les machines s'inscriront sur un tel Cso, qui enregistrera en partie leurs énergies. Ce n'est plus le « et puis, et puis, et puis... » de la production de production mais le « soit... soit... soit... » d'une production d'enregistrement qui quadrille sa surface. Et de même que le « et puis... » de la production précède l'idée synthétique de la somme, le « soit... soit... » précède le « ou bien » qui arrête la puissance d'intensité pure du Cso en repérant, limitant, disposant – à tel organe telle intensité – et qui prépare le corps rendu à la société. Au lieu de cela, l'enregistrement est permutation d'intensités, déplacements, glissements.

Enfin, il y a la production de consommation, qui laisse repérer quelque sujet ; mais un « étrange sujet, dit Deleuze, sans identité fixe, errant sur le corps sans organe, [...] défini par la part qu'il prend au produit, [...] toujours décentré, conclu des états par lesquels il passe » (23). C'est la synthèse conjonctive qui est la machine subjective, inséparable des deux autres synthèses, et donc des multiplicités naturelles et sociales : « c'était donc ça ! », « c'est donc moi, c'est donc à moi ». La troisième synthèse de l'inconscient fait du cogito et de la réflexivité l'effarement balbutié d'avoir à être ce Je sens plus profond que tout Je pense, cartésien ou kantien, et qui est l'émotion primaire des intensités, des devenirs, des passages consommés.

Venir trop tard, toujours trop tard, et en projetant des produits idéaux enclavés dans l'idée, et peu mobiles, sur le processus producteur, pourtant rebelle ou plutôt indifférent à toute signification pré-constituée ; puis, définir toujours des conditionnants vides, plus larges que les conditionnés, comme possibilité abstraite, plutôt que comme effectivité – ainsi du transcendantal kantien – : telles sont les vieilles habitudes des idéalismes de tout poil. Le théâtre freudien est une pauvre géographie des rôles – le ça et le sur-moi se joueraient du moi –, corrélée à un angström, tout au plus, de dynamisme – pulsions, déplacements, condensations, censure, refoulement. Mais l'inconscient, c'est de part en part de la physique...

Coupes de chaos

Physique deleuzienne : machines désirantes ; mais il faut certainement entendre celle-ci au-delà des ressources propres aux sciences. De même peut-on parler d'une logique deleuzienne (synthèses), et d'un mathématisme deleuzien (l'Idée différentielle de *Différence et répétition*, géométries et espace de Riemann).

Mais, dans tous les cas, il ne s'agira jamais d'élaborer une physique, une logique, une mathématique, *stricto sensu* ; il s'agira de montrer comment la création de concept – la production proprement philosophique – pourra délivrer, justement, ce type de multiplicité qu'est le concept pour cet autre type qu'est la fonction scientifique. S'il y a une physique, une logique, et un mathématisme deleuziens, ceux-ci sont dans le concept tel que Deleuze le conçoit. La physique de Deleuze est en fait une *super-physique*, que seule la philosophie peut créer.

Nous devons en tous cas nous demander ce qu'au contraire de l'opinion, la philosophie, la science, et l'art font du chaos. Or, ce qu'ils font, c'est s'y confronter, chacun selon sa spécificité, et leurs vérités sont de produire des coupes de chaos qui déstabilisent le réel tranquillement dominant, en le replongeant dans sa condition éclatante et chaotique. « Donner consistance sans rien perdre de l'infini », tel est le problème où le philosophe s'inscrit et à partir duquel il produit ce type de multiplicité qu'est le concept. La science, au contraire, cherche à donner une référence au chaos, à le délimiter, ce qui suppose qu'elle renonce aux mouvements infinis. La science, si l'on veut, actualise par nécessité le virtuel ; tandis que la philosophie virtualise l'actuel.

Le philosophe procède alors par concepts. Le concept est une multiplicité à x composantes inséparables, avec des zones de voisinages et des seuils d'indiscernabilité ; il est ainsi l'accumulation, la condensation de ses propres composantes, dont il parcourt les variations dans un survol à vitesse infinie. Ritournelle admettant un contour fini, les composantes, et, en même temps, un infini de survol. Les concepts sont donc des centres de vibrations qui résonnent, se laissent discerner et s'indiscernent les uns par rapport aux autres. Le Cso des concepts, c'est pour ainsi dire le plan d'immanence, qui assure le raccordement des concepts, leurs connexions, et qui n'est pas un Tout, ou le Concept de tous les concepts, mais lui-même variations incessantes qui épousent les concepts en même temps qu'il les replonge dans le virtuel jusqu'à la limite de leurs coexistences.

Les plans d'immanence des philosophies se croisent, s'enroulent, se connectent ici, se prolongent là, se disjoignent encore – chacun est spécifique, mais chacun rencontre les autres. Un plan d'immanence n'est certainement pas une pure aventure intérieure, comme si la pensée vivait sa vie à part ; tout plan est simultanément pensée et nature, et c'est pourquoi le plan est mouvements et plis, ne cessant de se tisser, pensée et nature se relançant sans cesse.

Il n'y a pas de concept de tous les concepts puisqu'il serait le chaos, l'inconsistance absolue ; et, de même, il n'y a pas de Plan d'immanence qui unifierait tous les plans. On comprend mal la philosophie comme histoire et chronologie, avancée, ou même comme éternel retour des problématiques. Elle est devenir, coexistence des plans, et non succession des systèmes. Mais il est certain que les créations philosophiques tirent leur réussite, ou leur échec, leur intérêt en somme, de la part qu'elles auront mise à affronter ce qui doit être pensé, et qui ne peut pas être pensé. Ce qu'il y a de plus intime dans chaque plan est aussi son dehors absolu. Et cela même est l'Immanence, la stricte et pure immanence que les plans ne peuvent qu'approcher, puisque ce serait résoudre l'impensable : consistance = inconsistance.

Ainsi la philosophie est-elle cette tâche de s'élever à la vitesse infinie du virtuel et du chaos ici-présent tout en donnant à penser, donc à consister, ce qui suppose des ralenties inévitables. C'est pourquoi la transcendance renaît toujours, et qu'elle est donc ce loup religieux, dans la bergerie, qui a accompagné si longtemps et si souvent la philosophie. Toute ralentie produit des effets d'Universel, de Transcendance – c'est-à-dire de Vide –, d'Unité, de Totalité, de Divinités, d'où s'exhalent des nuées de fantômes tenaces. La transcendance, c'est le repos, la mort projetée dans la vie et dont on attend qu'elle en soit le secret.

Il n'y aurait pas de philosophie sans philosophe, de concepts et de plan d'immanence sans personnages conceptuels. Par exemple, Descartes l'idiot, qui veut repartir de rien contre les professeurs de scolastique, et qui doute de tout, ou bien Kant le Juge, et les hétéronymes de Platon, le Dionysos de Nietzsche, et le Christ de Hegel, l'homme lucide de Schopenhauer. Le personnage conceptuel n'est pas l'âme ou la subjectivité du créateur de concepts, du philosophe. Au contraire, il est ce par quoi le philosophe, rencontrant le dehors, plonge en lui-même plus intimement que dans toute introspection.

« Je ne suis plus moi, mais une aptitude de la pensée à se voir et à se développer à travers un plan qui me traverse en plusieurs endroits. » (*Qu'est-ce que la philosophie ?,* 62). Qui n'a pas, pensant, éprouvé cela ? Il y a une prolifération des personnages conceptuels (Platon), bien plus qu'un personnage par pensée, et les personnages font et orientent le plan, construisent les concepts, ne s'y réduisent pas, mais en sont les contemporains indissociables.

De même, maintenant, que la philosophie est concepts, plans d'immanence, et personnages conceptuels, la science, faisant sa coupe de chaos, sera fonctif, plan de référence, et observateurs partiels. La science cherche à gagner une référence capable d'actualiser le virtuel, et doit pour ce faire renoncer d'emblée à l'infini du chaos. Elle est arrêt sur image, et sélection par ralentie de limites et de variables. Elle construit ainsi des systèmes de coordonnées, des potentiels qui y sont liés, des états de choses, des choses et des corps. Le potentiel qui se distribue dans le système de coordonnées puise dans le virtuel et tente d'en rendre compte par une actualisation qui en conserverait la nature changeante et mouvante, mais non sans limiter et encadrer celle-ci pour que des mélanges ordonnés, des interactions et des communications apparaissent.

Le plan de référence n'est jamais une ultime unification ; il n'y a de théorie que par l'impossibilité d'une Théorie absolue. Les chaînes de fonctifs se brisent tôt ou tard, et il faut alors d'autres fonctifs, et d'autres plans de référence pour actualiser autrement le virtuel, et déterminer l'infini.

Les observateurs partiels sont les perceptions ou affections sensibles des fonctifs eux-mêmes. On en rend mal compte en les pensant simplement comme la part du Diable subjectif dévolue au Dieu de l'objectivité scientifique. L'observateur n'est ni insuffisant ni limite subjective de l'objectivité, mais ce qui double les fonctifs de sensibilité et peuple les systèmes de coordonnées d'une perception et d'une affection spécifiques aux sciences, et sans lesquelles il n'y aurait pas de fonctif.

Une géométrie, par exemple, est impensable sans ce type d'affection ; et l'opposition, en général, de la perception et de la science intelligible n'a guère de sens. Les observateurs scientifiques sont finalement « un étalonnage d'horizons et une succession de cadrages sur fond de ralentissements et d'accélérations : les affects y deviennent des rapports énergétiques, et la perception même une quantité d'information. » (126).

Cette multiplicité qu'est le concept se distingue nettement, maintenant, de la multiplicité du fonctif : la première traite du virtuel, et la seconde de l'actuel. L'une plonge aussi loin que possible dans le chaos, l'autre le réduit pour nous donner à voir son actualisation.

C'est pourquoi le concept est une multiplicité de fusion, intensive, comme le disait déjà Bergson, par opposition au fonctif qui fabrique une multiplicité nécessairement extensive, qui seule permettra d'inscrire et de distinguer les choses et leurs variations ainsi maîtrisées.

Personnages conceptuels, ou observateurs scientifiques, il y a cependant du percept et de l'affect dans la philosophie et dans la science. Mais le maître du chaos perceptif et affectif, celui qui y plonge pour en revenir vainqueur, c'est évidemment l'artiste. Semblable en ceci au philosophe et au scientifique, l'artiste est celui qui désintègre les opinions, fort de son athlétisme chaotique. Son objet est un bloc de sensations, un composé de percepts et d'affects. Le percept n'est pas une perception commune, ni l'affect un simple sentiment. Au contraire, l'artiste ne parvient aux percepts et aux affects qu'à la condition de se laisser traverser, ou plutôt emporter, par la force du devenir, étrangère à la pauvreté d'opinion et du moi social. Les percepts et les affects sont littéralement des êtres, qui excèdent le vécu ordinaire et qui, dans l'œuvre, indépendamment même du créateur, cohérent. C'est ainsi que Van Gogh, peignant, devient tournesol, et que Cézanne fait pomme. Devenir, ce n'est pas imiter, mais le processus positif, quoique sans terme ni but, par lequel une subjectivité atteint son dedans le plus profond en traversant paradoxalement le dehors le plus intense. Soit devenir-femme, devenir-animal, devenir-enfant, devenir-moléculaire, devenir-tout-le-monde, devenir-intense à la fin.

Ainsi de Virginia Woolf qui, écrivant, veut saturer chaque atome, ce qui ne sera possible qu'en se rendant en quelque manière transparent. L'artiste n'est pas le contemplateur égotiste de sa subjectivité, mais au contraire celui qui sait se perdre dans l'univers pour en revenir plus intense. L'affect et le percept sont passage d'un état à l'autre, tandis que la perception et l'affection restent, habituellement, un vécu d'état. L'artiste est dans une relation puissante et directe à la vitesse, à l'indiscernabilité, et à l'intensité ; toute beauté est chaos composé, explosante-fixe, comme le disait déjà Breton. L'artiste ne virtualise pas l'actuel, comme le philosophe, ni n'actualise le virtuel, comme le scientifique ; on devrait plutôt dire qu'il crée des univers-forces possibles, où le virtuel et l'actuel ne cessent de se jouer l'un de l'autre. C'est en quoi l'artiste se fait figures esthétiques, alors que le scientifique se faisait observateurs partiels, et le philosophe personnages conceptuels. Ces figures sont des visions, des paysages, des visages, des corps, des forces, où chaque chose ne cesse de devenir-autre, et s'incarne dans une matière d'expression où s'incorpore cette incessante mobilité des frontières.

Les blocs de percepts et d'affects requièrent à leur tour un plan de composition rendu possible par les figures esthétiques et sans lequel on ne ramènerait du chaos que l'extrême de l'indistinct. Disons simplement que ce plan suppose à la fois de dresser des cadres, de joindre des pans, comme l'on se fait une maison ou un territoire ; là pourront cohérer les forces des percepts et des affects, là se dessinera une folle structure des blocs de percepts et d'affects. Un tel plan ne préexiste pas à l'agencement des blocs, et l'on doit plutôt dire qu'il est comme les faces des blocs de sensation, les manières dont ils peuvent se rencontrer, leurs dispositions réciproques les uns aux autres. Certainement, ainsi, par ce territoire, l'art se finitise, toute œuvre picturale, musicale, littéraire ayant un cadre, mais c'est immédiatement pour s'égaler à l'infini, pour redonner l'infini, pour exhiber une aptitude à l'univers du composé, cela parce que sa réussite tient dans les lignes de fuite ainsi ouvertes. L'illimité se montre dans la visibilité du limité. Le limité déborde de toute part, et cependant tient ici, dans la maison que l'artiste a su lui faire. Ce n'est plus un tournesol, ou une pomme, c'est l'infini-Van Gogh du tournesol, l'infini-Cezanne. Et c'est pour ainsi dire, à chaque œuvre et à chaque artiste, un infini distinct qui nous est offert, et qui est l'au-delà de toute perception ou affection communes, parce qu'il détient et délivre tout à la fois le chaos.

Méthodes

La philosophie, création de concepts, est donc pour Deleuze incomparable et autonome ; mais elle ne cesse en même temps de croiser les fonctions scientifiques et les variétés artistiques, comme des cas possibles de concept. Une variété artistique, une fonction scientifique étant données, quels concepts philosophiques y correspondent ? Et la philosophie devra procéder selon ses propres moyens, car le concept n'est pas donné dans la fonction ou le bloc de sensations, bien qu'il soit toujours possible par ailleurs que des glissements s'opèrent, que le Zarathoustra de Nietzsche se fasse figure esthétique, ou que l'Igitur de Mallarmé tende au personnage conceptuel.

Un plan d'immanence peut se glisser dans les fonctions, et ce serait même, sans doute, pour Deleuze, une définition possible de l'ontologie de Badiou. Mais enfin, si une philosophie du multiple ne peut évidemment pas exclure de telles rencontres et interférences, il s'agit surtout, pour Deleuze, de redonner à la philosophie un royaume légitime et illimité : qu'il nous suffise de savoir rencontrer des cas de pensée, et de créer dès lors. L'œuvre de Deleuze sera une telle et pleine rencontre : le cinéma, la littérature, la peinture, la musique, la botanique et la zoologie, les mathématiques et la physique, la biologie, *etc.*, quel domaine n'a pas été pour Deleuze occasion de concepts ?

Puisque la philosophie explore le virtuel, il lui est toujours possible de se constituer en méthode générale d'exploration.

Mais elle devra toujours aussi se confronter à la singularité. C'est sans doute pourquoi les modèles deleuziens ne cessent de prendre des allures diverses, qui ne sont pas, selon Deleuze, les métaphores d'un introuvable concept, ou d'une méthode première, mais les variations dont la multiplicité est capable. En d'autres termes, il y a une irréductible onticité de la multiplicité, et l'ontologie n'existe pas *in abstracto*.

Retenons cependant le modèle rhizomatique. Celui-ci tend à faire éclater le modèle binaire (ou logique) dont l'espèce favorite est l'arbre, arbre selon lequel Un devient Deux, et pour lequel les déterminations s'enracinent toujours dans une origine et un ordre d'où les déduire. Au contraire il y aura « principes de connexion et d'hétérogénéité : n'importe quel point d'un rhizome peut être connecté avec n'importe quel autre, et doit l'être. » (*Mille Plateaux*, 13).

La multiplicité n'est plus attribuable à quoi que ce soit, un Objet, un Sujet, un Monde, une Transcendance, et elle a seulement des déterminations, des grandeurs, des dimensions, et chaque connexion change la nature même de la multiplicité, dont on aura actualisé une virtualité supplémentaire.

L'unité, au contraire, est ce surcodage qui opère dans une sorte de dimension vide supplémentaire à celle du système considéré, ainsi fixé illusoirement dans une sorte d'éternité de la détermination, ou de pure actualité. Les rhizomes peuvent être rompus, brisés en chacun de leurs endroits, ou directions, et ce sont des lignes de fuite qui alors apparaissent ; d'autres rhizomes naissent, et l'on doit dire qu'on ne fait apparaître un nouveau donné qu'en disparaissant du déjà-donné, ce qui est exactement la même chose que d'approfondir ce dernier. Le rhizome doit ainsi être conçu selon une carte, et non un calque. Le calque n'est rien d'autre que la détermination par l'arbre, où on ne se figurera que les impasses, les blocages, ou bien les carrefours apparents, les points de structuration et de territorialisation ferme. Si le calque est plaqué sur le rhizome, la richesse de ce dernier est nécessairement perdue, et il s'agit de toujours reporter le calque sur la carte pour faire apparaître son abstraction.

L'agencement et le plateau : réfutation du dualisme

L'effet d'unité que nous mettons dans les choses et les pensées provient essentiellement de la lenteur humaine, qui serait notre seul transcendantal. Mais un tel effet organise un monde sans cela impossible ; et c'est là une question fondamentale qu'il faudrait poser à Deleuze : cette lenteur n'est-elle pas une condition de possibilité d'existence consciente ?

Le chant du virtuel et de la vitesse n'est-il pas lui-même un extrémisme ou une jubilation finalement juvéniles ? Mais il y a loin de l'affirmation de la multiplicité au dualisme naïf, altier et manichéen du Mauvais Un et du Bon Multiple. Si *L'Anti-Œdipe* est certainement une œuvre pure, et sans concession, *Mille Plateaux* tend à éviter un tel dualisme. On ne peut séparer la multiplicité de sa capacité d'auto-organisation, et l'unité apparente doit sortir du multiple, de même que toute unité doit être capable de redonner du multiple. Un plateau, disent Deleuze et Guattari, est une « multiplicité connectable avec d'autres » et qui induit effectivement une « région continue d'intensités » (32-33). Non seulement *Mille Plateaux* construira une théorie de la possibilité de l'unité, mais il s'agira, quant à l'éthique, de régler une expérimentation de la multiplicité qui ne pourra se réduire à un éclatement pur et simple, et qui doit au contraire circuler de l'unité apparente à la multiplicité véridique. Déclaration explicite : « Il n'y a pas de dualisme, pas de dualisme ontologique ici et là, pas de dualisme axiologique du bon et du mauvais [...] Il y a des nœuds d'arborescence dans les rhizomes, des poussées rhizomatiques dans les racines. Bien plus, il y a des formations despotiques, d'immanence et de canalisation, propres aux rhizomes. Il y a des déformations anarchiques dans le système transcendant des arbres » (30-31).

L'agencement est certainement le concept deleuzien qui permet le mieux de comprendre comment la multiplicité peut être affirmée sans retomber dans quelque face-à-face antique ou métaphysique avec l'Un. Remplaçant progressivement la notion de machine désirante, il n'induit pas moins que ces machines la nécessité de la rencontre ou de l'extériorité dans l'immanence.

L'agencement est toujours un complexe d'hétérogènes, qui définit la production désirante dans son articulation, et qui peut tout d'abord se comprendre à partir du moléculaire et du molaire : il y a des strates d'agencements – au niveau molaire – qui présentent une certaine stabilité, et dont la stratification renvoie aux habitudes sociales et d'opinion. Mais le molaire dépend en dernier lieu des agencements moléculaires dans lesquels il est pris, et où nous avons toujours chance de décoder le molaire, d'ouvrir une ligne de fuite, de faire jouer le mineur contre le majeur, bref de redonner sa vérité au multiple.

De ce point de vue, le sujet ne préexiste pas à ses agencements désirants, mais bien au contraire ne se constitue qu'en s'agençant, oscillant certainement entre la réassurance molaire et le pouvoir d'affection et de pensée que le moléculaire organise en désorganisant le molaire. Le moléculaire n'est pas l'individu, tandis que le molaire serait la collectivité. Il n'y a pas l'individu atomique, ni le regroupement ensuite, car molaire et moléculaire désignent d'emblée des multiplicités, mais l'une aux agencements solides et lents, fortement territorialisés (dans l'Etat, la famille, le domicile, la profession...), l'autre aux agencements fluides et rapides (où je parviens en quelque sorte à la puissance du « Je est un autre » d'un Rimbaud).

La théorie de l'agencement suppose, à un deuxième niveau, l'hétérogénéité des corps et des énoncés, et elle permet à Deleuze de dépasser les linguistiques confinées dans le rapport du signifiant et du signifié. Il y a agencement chaque fois qu'il y a couplage mouvant d'un ensemble de relations matérielles et d'un régime de signes, agencement de contenu et agencement d'expression qui produisent le sens à la fois par leur autonomie et leur relance perpétuelle : l'expression n'exprime pas les relations matérielles mais y intervient, tandis que le contenu ne cesse de mettre en variation l'expression. Il n'y a pas une expression qui vise un contenu (le modèle analytique, ou même phénoménologique), mais une signification indissociablement matérielle et idéale, et qui est la manière dont les types d'agencements s'entremêlent et se séparent, se relancent, peuvent faire d'un contenu une expression, d'une expression un contenu, s'enrouler l'un dans l'autre sans cependant pouvoir jamais fusionner, et ainsi réduire à zéro – au décès du sens – leur différence. L'adéquation apparente du langage et des choses est un effet de surface de leur inadéquation fonctionnelle, réellement productrice.

Le temps !

Bien que Deleuze soit un extraordinaire penseur de l'espace et des forces, c'est certainement dans sa théorie du temps que ses principales conceptions trouvent leur expression la plus pure. Comment, en effet, donner à voir le virtuel sans construire une pensée renouvelée du temps ? Comment serait-il possible que la signification de l'actuel et de l'unité dérive du virtuel et des multiplicités s'il n'y avait pas le temps faisant et défaisant, ce facteur dynamique par excellence, et qui a toujours ensorcelé le désir philosophique des essences stables ? Mais encore faut-il sortir du temps de la représentation (commune ou philosophique) et montrer en quoi le temps est la vérité du multiple.

Chronos est le dieu d'un temps successif, organisé selon le passé, le présent et le futur, et qui accueille sa propre homogénéité dans la perpétuité d'un présent qui passe. Mais Bergson, déjà, avait montré que cette homogénéité n'était pas concevable selon la ligne, ou la succession d'atomes de présent. Deleuze approfondit le concept bergsonien de durée. Le présent passe, et on ne peut rendre raison de ce passage que si l'on comprend le temps comme une progression d'intensités, une augmentation des dimensions ; un présent est toujours une dimension de plus par rapport à celui qu'il remplace, en même temps qu'il est une autre dimension. Le présent actualise, une intensité se présente. Mais cette actualisation suppose constamment le virtuel du passé, de même qu'une intensité n'existe que par rapport à une autre intensité, puisqu'elle suppose un différentiel. L'actualité d'une dimension fait basculer l'autre dans le passé ; chaque dimension individualise, et nous ne cessons de vivre la succession comme autant d'individualisations des intensités dont nous sommes capables. Le temps est la pure différence éprouvée et œuvrante.

Si l'on tente, maintenant, de concevoir au plus près l'actualisation perpétuelle des différences, et de leurs dimensions toujours nouvelles, on doit remarquer que le passé se forme dans l'acte par lequel le présent passe. Le passé n'attend pas que le présent passe pour, ensuite, se constituer en passé. C'est chaque instant qui est à la fois actuel et virtuel, présent et déjà passé. Le temps montre clairement que l'actuel et le virtuel sont indissociables. Alors, loin d'être pur non-être, le passé, tout le passé, est contemporain du présent, qui en est la contraction, extrême pointe du déjà-là, actualisation.

Chacun de nous reçoit dans chaque nouvelle dimension l'hétérogénéité des directions dont l'une s'élance vers le futur, et l'autre tombe dans le passé. Mais chaque présent forme des circuits avec son propre passé, qui peuvent être de plus en plus profonds, qui supposent tout le passé mais qui n'actualisent que relativement le virtuel total (le Je se souvient). Chaque nouvelle dimension est donc autre, mais non sans rapport avec toutes les autres, puisqu'elle les présuppose. Le thème d'une vie faite de successions est faible. Chaque dimension peut être faite d'intensités claires ou obscures, distinctes ou confuses, d'actualisations rapides ou ralenties, de ruptures ou de bonds.

Qu'est-ce que le Temps ? La réunion virtuelle de ces dimensions, qui n'existent les unes les autres que par leur différence intensément avérée. Le Temps est la différence en elle-même, la différence se faisant sans cesse, et il n'est pas de centre, de privilège que l'on puisse accorder à une quelconque de ces dimensions. En particulier, le présent n'est pas la fixation d'une identité, ou d'une synthèse parfaite ; la vie du moi n'est pas la succession mais le vertigineux des dimensions se rapportant les unes aux autres d'une manière non chronologique et dont on ne saurait dire que celle-ci, plus que celle-là, fut mon moi.

Nous nous mouvons dans la mémoire-être, bien plus que dans un ordre mental qui serait en nous. Un souvenir est actualisation du virtuel de l'être-temps. Nous pénétrons le virtuel avec maintes figures et associations pour actualiser une image-souvenir.

C'est pourquoi, en un sens, le vieil homme n'est pas plus vieux que le jeune, ni le jeune plus jeune que le vieux, et qu'un an ou dix peuvent ne rien signifier de consistant à celui qui n'a pas la mémoire comptable, c'est-à-dire d'opinion, et qui plonge dans les nappes de passé plutôt qu'il ne mesure une prétendue distance.

L'analyse deleuzienne du passé se prolonge aussi bien dans sa compréhension du présent et du futur. Le premier aspect nous a donné le passé, vérité du présent, virtuel de cet actuel. Mais le présent n'est pas seulement, pour Deleuze, inséparable du passé ; il a sa puissance, sans laquelle il ne laisserait pas venir la surprise propre à tout instant, et qui fait de tout homme, en dépit de ses repères, l'éternel hébété de l'instant, celui à qui l'intensité est donnée, bien plus qu'il ne la forge. Le temps resterait la mécanique d'une actualisation logique. Le temps serait programme, et la vie ne serait point pour nous la conscience d'étonnement, bien plus que lumineuse, qu'elle est.

Le présent est l'événementiel. L'intensité de la dimension vient de l'événement. Deleuze nomme alors Aîon la temporalité de l'événement, qu'il oppose au dieu Chronos pour lequel le passé et le futur se résorbent dans un présent continu, plus ou moins large. S'inspirant du concept stoïcien, l'Aîon est pour Deleuze la pensée de l'événement en tant qu'il est étrangement intemporel, instant sans épaisseur et sans extension, entre-temps, césure ou coupure. L'événement n'est pas exactement une intensité, mais ce pur passage de l'une à l'autre dont on ne peut dire qu'il dure, qu'il est dans le temps, même à la manière du plus bref présent. Paradoxalement, l'Aîon de l'événement est ce dehors du temps qui en est le plus intime, et cette différence d'avec lui-même par laquelle sa pulsation présente se continue.

Essayons de préciser : bien qu'extra-temporel, l'Aîon n'est nullement l'éternité religieuse, mais ce fait que l'événement ne se rend pas homogène au temps, et que son apparaître est cette hétérogénéité insaisissable qui interrompt un plan du temps pour le poursuivre autrement – comme chacun le voit dans l'expérience d'un événement pour lui marquant. Finalement, le temps doit être brisé, perpétuellement, pour laisser les différences fluer et ne pas se résorber dans l'illusion d'un Flux-Un –, ce que sans doute Bergson néglige.

Il y a un rapport profond entre le dieu Aîon, le langage, et le sens. Aîon rend possible le langage et le sens : la signifiance n'est rien d'autre que ce qui seule peut porter en soi cet événement, et le laisser subsister, le prolonger avec d'infinies figures et variétés en l'abritant dans l'enveloppant du langage, ainsi aussi en l'excluant du donné brut. Les états de choses acquièrent alors une autre réalité que celle où, sans doute, paissent les bêtes ; mais autre chose ? C'est-à-dire, aussi bien, le rien d'actuel, la pure virtualité. Il se passe ce quelque chose qui n'est rien de définissable mais qui pour cette raison arme toutes les définitions, et les ressources du sens dont dès lors nous serons capables.

Passé, présent, futur : l'être devient. Reprenant cette fois-ci le thème de Nietzsche, l'éternel retour, Deleuze constitue une anti-eschatologie. Le devenir est l'affirmation des différences, et ce qui advient n'a pas d'autre sens que le retour des différences. La globalité du temps n'est pas Parousie, ou retour du Même. Tous les hasards et tous les devenirs, toutes les différences, et toutes les intensités résultent d'un coup de dés en quelque sorte cosmique, et qui est comme l'Evénement de tous les événements. Mais le temps n'a pour autant ni commencement ni fin, ni création ni but, et il n'est pas d'Un du temps. Si dès lors on cherche à répondre à la question de la destination du temps – et de l'univers –, on ne pourra envisager, à la limite, que le modèle d'une spirale où l'être s'enroule dans le retour du différent. Seul le différent se répétera. Le coup de dés n'en finira pas de résonner, et mon être passager l'a pour seul Dieu, qui va bien au-delà de moi et de mon passage même.

Ethique

L'éthique de Deleuze abrite au moins une ambiguïté de surface. On peut, en sa compagnie, affirmer le désir intégral, ainsi que *L'Anti-Œdipe* semble nous y inviter, et vouloir renverser tout ordre, toute structure, toute stratification au nom d'une vie intense et réelle, libérant la vérité du multiple. Une telle orientation – anarcho-désirante – trouve certainement sa pente dans l'image d'un deleuzisme violemment hédoniste, et anarchiste, sorte de philosophie de la dépravation que les matérialismes d'Epicure ou du baron d'Holbach, soit dit en passant, ont su éviter. L'icône sauvage a sans doute fait beaucoup pour rendre Deleuze agréable aux jeunes artistes et aux groupuscules de tout poil ; se revendiquer de quelque penseur nécessairement abscons – quelque philosophe, rien de moins – est pour certains le *nec plus ultra* de la justification de soi. Sartre, de même, eut ses jeunes gens. Deleuze, pour sa part, et sans doute avec une innocence gourmande, ne pouvait qu'encourager tout ce qui faisait déborder la philosophie de ce cadre finalement bien pratique et inoffensif qu'est son institutionnalisation universitaire, et rappeler ainsi que la pensée est réellement une guérilla, et qu'elle ne doit cesser de se mêler aux genres et aux gens, non pour discuter un peu mais pour créer et proposer ses ogives conceptuelles.

Mais il y a loin de ce deleuzisme vulgaire à la signification de son éthique, et l'on pourrait, dans un virage brutal, inverser les propositions, faire de Deleuze, au contraire, un grand ascète, et puis de sa pensée pratique une quête de la dépersonnalisation, et de l'oubli de soi. C'est que la volonté de puissance deleuzienne échappe, de manière générale, aux dualités. Celles du bien et du mal, et du jugement, celles du moi et du non-moi, de l'actif et du passif, de l'universel et du singulier, du rationnel et du pulsionnel, *etc*.

L'éthique de Deleuze est bien évidemment, d'abord, affirmation pleine et intégrale de l'Immanence et de la Vie. Rien n'est plus étranger à Deleuze que l'espoir des arrière-mondes et la plainte de la finitude : Nietzsche et Spinoza, bien sûr, lui ont enseigné que toute lumière était d'ici, et que la vie ne pouvait que vouloir la vie, telle qu'elle est – mais parvenue à sa plus haute intensité, et libérée. Les jugements des uns sur les autres, les religiosités, les plaintes des esclaves de la finitude, les chapelets tristes sont précisément les ruminations de l'ego incapable d'affirmer autre chose que la conservation de son image identitaire et finalement mortifère. C'est pourquoi le philosophe ne cherche pas à discuter, à débattre, à communiquer, comme on dit, mais à créer, insoucieux du réactif et du consensus, aristocrate plus que démocrate quand il s'agit d'établir une éthique de la pensée ; et c'est pourquoi aussi une pensée ne se juge pas par rapport à d'autres, ou à des critères normatifs, mais en elle-même : puissance de création de nouveaux et intéressants concepts.

L'affirmation de la vie récuse le dualisme ; il se trouve qu'il n'y a ni n'aura jamais de multiplicités sans des effets d'Un, de déterritorialisation sans reterritorialisation, de fuite sans stratification, d'espace lisse sans espace strié, *etc*. Mais il y a un primat ontologique du réel caché sur le réel dominant, du mouvement sur le repos, de la vitesse sur le point. Nullement, dès lors, le problème n'est-il de détruire mais d'instruire le réel d'apparence de son pouvoir multiple. Ce n'est pas l'ordre qui est fasciste, mais la manière dont l'ordre croit en l'ordre au détriment de sa vérité multiple. Inversement, les lignes de fuite ne seraient rien si elles ne repassaient pas par les clôtures où elles travaillent.

Cela se dit d'abord : « Ne pas être indigne de ce qui nous arrive. » Recevoir l'événement, qui est l'occasion du multiple, et d'un dessaisissement de soi qui nous ouvre aux intensités différentielles, et nous force à penser le dehors tout autant qu'à en être affectés. Se perdre dans l'extériorité et accéder à l'intimité de sa vie sont pour Deleuze strictement équivalents, ou deux manières de signifier le processus. Le moi s'enracine dans le poids des mots et des jugements, plaidoyers, désirs non satisfaits, un trop-perçu tout aussi bien ; de même l'organisme et sa perception sur mesure qui bloque le Cso. La particularité des uns ou des autres – le moi je – ne doit nullement être confondue avec ce processus ; au contraire, elle dissimule et justifie le plus souvent l'enclave et la pauvreté d'une clôture de soi sur soi, si bien que parvenir aux différences serait au contraire devenir en quelque manière impersonnel, devenir indiscernable, devenir imperceptible, apprendre à se perdre non pour se trouver mais pour trouver le monde.

L'organique, et son organisation de ligature, la signifiance, et son effet-retard d'abstraction, la subjectivité, et son enracinement d'habitudes, ce sont là les trois obstacles. Il faut y opposer les trois vertus : percevoir en Cso, parler et penser en virtuel, être soi en nomade. C'est en quoi l'éthique de Deleuze peut à la fois être affirmative et ascétique.

Devenir-Vie. Mais le vitalisme de Deleuze n'est pas un biologisme. Déjà, les machines désirantes se distinguaient de tout plat mécanisme logique comme de tout spiritualisme, ou finalisme de l'organisation naturelle : elles signifiaient ainsi l'identité du désir, processus naturel, et des connexions et disjonctions incessantes entre les multiples ; elles voulaient dire que désirer et se multiplier sont tout un, sans manque ni vide. Le désir est un processus naturel bien avant d'être une donnée psychique.

Le vitalisme de Deleuze est à la fois inséparable de la matérialité et du mouvement ; mais la matérialité et le mouvement désirant n'ont peut-être pas la même puissance vivante : la matérialité phénoménalise l'immanence ; mais le mouvement traverse et crée – à quel point nous voici reconduit à un Bergson, certes déchaîné.

Les lignes de vie les plus pures sont de fuite, qui transforment les substances et dissolvent les formes, portent la vie plus loin, l'innocence de l'inattendu. L'éthique est la vie s'affirmant dans le vif de cet indéfiniment mobile, et indéterminable. La vie pauvre, au contraire, ou littéralement inintéressante, est celle des résidus et des strates.

Il arrive à Deleuze de nommer « ligne abstraite » de telles lignes de vie, et « machine abstraite » ce qui dans un agencement toujours présent opère cette fuite. Mais abstrait, ici, n'a aucune connotation péjorative, veut marquer le caractère indéfini d'un tel processus. La machine abstraite bouleverse un agencement en destituant les distinctions entre contenu et expression, en proposant d'indiscerner ou de redistribuer autrement les contenus et les expressions, en les mettant en variations. La ligne abstraite court alors à l'infini, traversant et décomposant les strates ; de cette ligne idéale qui ne cesse de changer de direction et de tourbillonner, sans cause finale, procèdent des lignes de fuite.

Suivre la ligne abstraite, telle est l'éthique.

Ce qui suppose que l'éthique est un devenir, et non une prescription. Sans doute l'éthique de Deleuze est-elle aussi, au final, un esthétisme, un savoir-faire : suivre suppose d'en garder assez pour continuer. En garder juste assez car la ligne abstraite, jamais atteinte, peut présenter, à l'absolu, la figure vertigineuse de l'explosion de soi – et se retourner, mal comprise, en folie ou en mort.

Politique

Deleuze, fort heureusement, ne crut ni en la Révolution ni à la bienfaisance de l'Etat. Que l'Un doive être réinventé de fond en comble, la veine marxiste, ou qu'il soit un Dieu acceptable pour l'homme, l'une et l'autre de ces propositions reviennent à la transcendance, sans vouloir endurer le sans fin du procès multiple. Deleuze ne peut concevoir qu'une micro-politique, qui serait à l'éthique son prolongement, lorsque nous sentons que le désir et la ligne de fuite sont collectifs, qu'ils engagent le socius, et que le sort réservé à un corps sans organe baigne de toute part dans l'immanence sociale et d'univers. L'éthique deleuzienne a toujours déjà renoncé au personnalisme, elle n'est pas l'affaire d'un homme qui voudrait atteindre à la sagesse pour son compte, et c'est donc naturellement qu'elle est politique.

Tout commence, certainement, avec l'Etat, mais la conception de Deleuze rejette d'abord cet évolutionnisme qui peut parfois imprégner les sciences humaines, et qui dessinerait une progression historique.

A l'œil lucide, l'histoire fut et sera toujours l'histoire de la répression du désir ; elle n'a de ce point de vue aucune finalité ou nécessité, nulle anthropie. Elle est parfaitement contingente, et sa seule constante s'écrit dans les modes par lesquels le désir est réprimé. Sa question est toujours : comment enregistrer, inscrire, limiter, coordonner et se subordonner la réalité d'un désir naturellement fluant ?

L'histoire-hasard est aussi bien stratégies diverses d'anti-nature, et non cette merveilleuse métamorphose culturelle de la bête en l'homme, puis de l'homme en ange. L'Etat est le garant de l'anti-nature, le grand Un contre le Pan. *Mille Plateaux* récuse dès lors toute genèse étatique. L'Etat se présuppose toujours lui-même ; on s'exténuerait à rechercher sa naissance causale ; il n'y a pas un développement progressif de l'humanité vers l'Etat, mais plutôt une coexistence, de tout temps, de son pôle avec d'autres machines ; dès le néolithique, peut-être même avant, la société signifie la coexistence de l'Etat et de sa contestation, son pressentiment et sa conjuration, ses opérations de capture et de législation. La machine étatique est un agencement puissant qui tient à la fois du despote et du législateur, un attelage dont la binarité est une alternance complice bien plus qu'une opposition. Le despote est le roi magicien, le législateur est le prêtre juriste : l'un opère par capture, noue et prend dans ses filets tandis que l'autre passe des traités, des pactes et des contrats. Mais l'on capture pour pactiser ; et le pacte est aussi bien une capture par la règle. Le despote et le législateur se présupposent et c'est bien pourquoi l'action d'un pôle recharge l'autre, et qu'il serait tout à fait vain d'imaginer un Etat juste parce qu'intégralement juridique. La démocratie athénienne pille l'empire oriental, ou constitue son propre impérialisme, en même temps qu'elle légifère... De manière générale, le droit ne saurait être le but de l'Etat, puisque le droit est pour lui un sous-agencement variant avec ses modes de contrôle ; l'Etat de droit n'est certainement qu'une illusion.

La contingence historique n'exclut pas que l'on puisse envisager différents types d'agencements répressifs. Primitifs, barbares, civilisés...

On ne fait pas son sort au désir et à la multiplicité de la même manière selon qu'il s'agisse d'une machine territoriale primitive, d'une machine étatique despotique, ou de notre sainte machine capitaliste. Âges de la cruauté, de la terreur, et du cynisme.

La terre est la surface première, l'entité indivisible, le corps sans organe naturel sur lequel les hommes agencent leur première machine, qui est donc territoriale. Ce premier socius, machine d'inscription primitive, a pour pièces les hommes, les espèces cultivables et les instruments aratoires. Rien ne doit échapper, ni flux de graines ni de troupeaux, de femmes et d'enfants, d'organes.

Une machine territoriale primitive sera l'investissement collectif des organes, distribués et accrochés sur le socius, cernés et institués. Les corps sont marqués (masques et tatouages), les interdits refusent en telle ou telle circonstance la jouissance des organes (ne pas voir, ne pas parler), des initiations labourent les corps (supplices, sacrifices). Les flux sont codés, les organes investis, les corps marqués. Les unités ne sont pas dans les personnes mais dans les séries et les fantasmes de groupe.

Comme Nietzsche le remarquait déjà, il s'agit de faire à l'homme une mémoire, mémoire de cruauté qui est donc le premier mouvement de la culture.

C'est pourquoi la compréhension traditionnelle de la société primitive (l'échange) est tout à fait secondaire. Les échanges primitifs n'interviennent qu'à la condition que les flux soient déjà inscrits et codés. Certes, alors, la machine décline alliance et filiation. Il y a comme un capital primitif, fixe, à la mémoire filiative et biologique, et un autre mobile, fait d'alliances, de paroles, de promesses et de créances ainsi ouvertes entre les différentes sociétés primitives. Le système évolue entre ces deux pôles, entre fusion et scission, mais toujours en conjurant le cauchemar des flux décodés. Notons en passant que *Mille plateaux* ajoutera à l'analyse de *L'Anti-Œdipe* ici suivie que la machine primitive est déjà, à sa manière, étatique, tandis que *L'Anti-Œdipe* s'en tenait à ce descriptif.

Mais viennent les conquérants... La machine territoriale a tout prévu, sauf que la mort lui viendrait du dehors. Naissent les machines étatiques despotiques. Le despote, certainement le grand paranoïaque, dont les groupes de soldats, de scribes et de prêtres répandent la gloire nouvelle et éternelle, celle de la terreur. Le despote récuse les alliances et les filiations de l'ancienne communauté. Tout doit revenir à sa divinité propre, son corps à lui – ce petit homme – se prolongeant dans l'Etat magique et effrayant. L'Etat est le corps absolu et collectif d'un simple corps personnel, et fait du désir la chose du souverain. Le nouveau corps ne désintègre pas la machine territoriale qui codait. Il re-code, sur-code. Les briques des vieilles inscriptions, celles-ci demeurent ; elles sont autant de développements, voire de fonctionnements autonomes, mais qui doivent s'inscrire à leur tour dans le corps immobile, monumental, immuable de l'Etat. Tout n'est pas ordonné à la totalité et à l'harmonie : il s'agit plutôt d'une unité supérieure mystérieuse et transcendante – qui voit le despote ? – régnant sur les fragments – comme Kafka le saisit si bien, par exemple dans *La Muraille de Chine* – et sachant toujours légitimer la mort et la violence au nom du Signifiant suprême, le nom du despote, ordonnant les signifiés. Un nom, un corps, ceux du despote, pour tous les noms, les corps, et le droit de vie et de mort, de souffrir ou de jouir : l'abstraction est non seulement au fondement de l'Etat, mais celui-ci acquiert d'autant plus de puissance que celle-ci se développe, dieu-vivant qu'est le despote, transcendance auto-posée. En tous cas, l'Etat devient le créancier infini, l'interminable pouvoir auquel l'on doit son existence même. La dette primitive devient dette d'existence.

Le dépérissement de l'Etat despotique viendra avec la richesse des flux coulant malgré tout sur son corps : production marchande, richesses, propriétés privées, nouvelles classes... L'Etat ne peut plus se contenter de surcoder au nom d'un signifiant divin, ne peut plus couvrir la diversité de ces flux. Il s'en suit que l'unité abstraite et intégrante de l'Etat despotique doit disparaître. L'Etat est maintenant dans le champ de forces, dont il cherche à coordonner les flux – droits des bourgeois et des prolétaires. Il n'est plus la classe dominante au service du despote, mais il est lui-même produit au milieu des puissances, des luttes, des compromis des dominants avec les dominés, instrument des classes devenues indépendantes, et en premier lieu, bien entendu, instrument des dominants. Sa machine ne détermine plus le système social ; il s'incorpore au système dans le jeu de ses fonctions. Le Capital devient le nouveau corps, la nouvelle machine dont l'Etat est un rouage.

Mais le capitalisme n'est-il pas un mieux ? N'est-il pas le mouvement des flux décodés ? L'invention et l'élan ? Voir... Il s'agit tout d'abord de saisir comment et pourquoi les flux sont décodés. Le capitalisme n'est pas seulement un tel décodage, les flux ont une conjonction précise, à sa naissance, que Marx a évidemment saisie : les travailleurs rencontrent le Capital, capable de les acheter. Le Capital devient filiatif, l'argent engendre l'argent, la valeur une plus-value : il y a évidemment à nouveau dominants et dominés. C'est le cynisme du vampire : le Capital est ce travail mort, ce non-travail qui s'anime et grossit en pompant le travail vivant des prolétaires. Et le vampire n'est jamais à court d'arguments : « Non, personne n'est volé, c'est pour le bien de tous, sois humble et à ta place, d'ailleurs c'était pire avant : veux-tu retourner au despote ? Ah...Tu vois bien. » D'un côté les flux du Capital deviennent abstraits, les millions et les milliards, les dettes des Etats, les évaporations, transmutations, et réapparitions boursières, de l'autre ce n'est pas le même argent, en miette, mais un argent terriblement concret, qui forme le pouvoir d'achat d'une immense majorité de dominés. Bien entendu, la montée des classes intermédiaires est nécessaire au capitalisme pour se maintenir : l'individualisme lui est consubstantiel. Car ne lutter que pour soi, ou se déclarer satisfait de soi, ce n'est jamais lutter contre le capitalisme.

Les flux décodés du désir sont axiomatisés par le capitalisme. L'on veut bien décoder, l'on veut bien promouvoir et même encourager les flux et les différences, mais à la condition expresse qu'ils servent le Capital, qu'ils soient marchandises. Le désir, nécessairement, s'appauvrit alors en ridicules possessions de confort et de mode, et la légalité devient celle du Capital. Si une limite externe pousse le capitalisme vers un seuil de décodage et de dé-territorialisation maximum, celui-ci sait bien que ce seuil serait sa mort, s'il s'y laissait aller sans le re-territorialiser sur le Capital. Le Capital s'étend, et peut effectivement toujours s'étendre, aussi loin que vont les possibles, livrés au factice de la consommation, devenue la forme de l'Être et du Bien. La limite interne, toujours repoussée, conjure la limite externe et la reconduit à la servitude au Capital. Une anti-production radicale axiomatisée par le Capital – ceci mais pas cela – habite donc le centre de la production du désir.

L'éthique, dans ces conditions, rejoint la politique, car tout investissement du désir est social. Que faire ? Distinguer tout d'abord la manière dont le moléculaire et le molaire se rapportent l'un à l'autre. Car la répression signifie toujours que le moléculaire est subordonné au molaire, investissement de type paranoïaque et réactionnaire ; tandis qu'au contraire l'investissement schizoïde et révolutionnaire se remarque à ceci qu'il libère le moléculaire et tend ainsi à déformer et reformer le molaire. Seulement, cette distinction reste fragile parce que les investissements moléculaires peuvent donner lieu à des phénomènes de pouvoir écrasant la production désirante au nom de sa libération, et d'autres hiérarchies, surmoïsations ou narcissismes apparaissent alors. Un même homme peut fort bien tenir des deux aspects : Saint-Just, Lénine, Breton.

C'est pourquoi le mythe de la Révolution générale n'est que l'envers de la Domination, et son investissement, de ce fait, est paranoïaque. Seule une guérilla, toujours à reprendre, libère le schizoïde sans s'illusionner sur une victoire définitive qui, de toutes les façons, marquerait plutôt le règne d'un nouvel investissement paranoïaque.

Il est de la nature de la multiplicité et de la différence d'être sans Empire mais de pousser en tout empire comme une herbe folle dont, décidément, nul ne pourra se débarrasser. Si donc il y a globalement un contrôle aisé par la formation capitaliste du schizoïde, si nos investissements peuvent rester un inextricable mélange des types schizoïdes (la réalité du désir) et paranoïaques (nos intérêts), si même il y a chez les contemporains une sorte d'amour pour la machine capitaliste, un désir de la répression même du désir (c'est là chercher un intérêt, un mieux dans le système qui opprime sans interroger le système – être le flic des autres, de leurs désirs –, avoir le goût du travail bien fait : chacun à sa place – bref, chercher la bonne manière d'être enculé par le socius), malgré tout cela, donc, la potentialité révolutionnaire traverse le capitalisme sous la forme de lignes partielles, ponctuelles, spécifiques, sans totalisation, mais en réseaux et relais. Toujours quelque chose échappe aux organisations et aux axiomatiques, toujours quelque chose fuit.

On ne doit donc pas tenir la politique deleuzienne pour une cause perdue, une fonction vaine de résistance. La politique de la multiplicité est fondée en nature : l'artifice domine le réel, mais ne peut liquider la multiplicité qui revient et reviendra toujours car celle-ci est la nature de l'homme et des choses. L'Histoire semble molaire ; mais à un niveau plus subtil, on doit dire que l'Histoire se fait d'abord de manière moléculaire. Mai 68 en témoignerait. Ce que l'on nomme l'Histoire n'est que l'histoire des retombées générales des devenirs, leur simplification. L'aliénation des devenirs au profit de quelques hommes, ou idées, voilà ce contre quoi lutter, et qui donne à l'Histoire son apparence de vainqueur par rapport aux devenirs. Pour autant, il n'y a ni programme ni monde utopique à vouloir.

La politique de Deleuze est une lutte et une création qui n'a pas de terme ni de but. Mais elle distingue le monde de la représentation (la majorité) du rôle des minorités. Majorité et minorité ne doivent pas être comprises à partir du simple critère quantitatif, ou culturel, social : précisément une minorité est déjà identifiée – et son sens authentique perdu – lorsqu'on la compare à la majorité, comme au plus grand nombre. La minorité est en fait non dénombrable, floue, connexions engendrant une ligne de fuite. La puissance de la minorité ne consiste pas à pouvoir renverser la majorité quantitative en grandissant en nombre ; cette puissance est extérieure à la comptabilité de la politique traditionnelle et à son *show-business*. Elle circule et travaille partout et à chaque fois que l'Etat et le Capital rencontrent leur impuissance : la minorité décode, invente, met en mouvement. Son efficacité ne tient pas du tout à son poids en souveraineté mais à sa célérité et aux surprises dont elle est capable.

L'Etat est toujours vainqueur du point de vue de la souveraineté mais toujours perdant selon la micro-politique. La guérilla n'est donc pas une vaine entreprise ; simplement, elle ne doit pas recourir aux transcendances (La Révolution, le Meilleur des Mondes, mais aussi bien, négativement, l'Etat Diabolique). Les processus de domination ne sont jamais écrits d'avance et l'incertitude doit savoir faire son jeu de cette contingence qui répugne à la macro-politique mais qui persiste en son détail. Les lignes de fuite repassent par les organisations molaires et doivent pouvoir remanier leurs segments durs. Elles forment une perpétuelle machine de guerre qui doit transformer l'appareil d'Etat. L'Etat, en définitive, ne se conçoit pas lui-même sans ce rapport à son dehors qu'il ne peut entièrement s'approprier.

III

Badiou

Vide et vérité

La pensée de Badiou est une méditation sur l'implication mutuelle du vide, du multiple, et du soustractif. Pour Badiou, et conformément à l'intuition de Lacan, la pensée parvient à dire quelque chose du réel, et de l'humanité, lorsqu'elle est capable de construire à l'envers le procès du sens. Que signifie à l'envers ? Cela veut dire penser la soustraction qui est impliquée dans toute démarche de signifiance, qui soutient une telle démarche, la rend possible, la construit, et qui hante la positivité apparente de nos procès de sens. Nous pouvons le dire très simplement, selon une évidence que chacun a pu distinguer, un jour ou l'autre – nous ne chercherions pas si nous pouvions trouver. Au contraire, que nous ne puissions trouver, cela suffit à nous mettre en quête. Concevoir la détermination suppose donc de faire toute sa place à l'indéterminable.

Qu'est-ce qui est soustrait à la détermination ? La réponse est que l'être, premièrement, en tant qu'être, ne saurait être l'objet d'aucune intuition, et ne peut donc être présenté que sous la forme d'une telle soustraction, qui est effet de son vide.

Mais l'homme, comme sujet, est celui pour lequel il se peut qu'advienne quelque chose, pour lequel il y a de l'événement. Et il y aura du sujet, en l'homme, pour peu que celui-ci perçoive que quelque chose, un événement, échappe à la régularité implacable des structures.

De là que la pensée de Badiou se destine à l'être et à l'événement. Badiou ne saurait tout d'abord maintenir une quelconque odyssée philosophique.

Une telle entreprise, exemplairement celle de Hegel, revient à concevoir la pensée comme cette destinée d'avoir à déterminer le Sens du sens. La fonction du vide est exemplaire, ici, parce que toute pensée qui n'en vient pas au vide comme au dernier mot de l'immanence reste pour Badiou une religion, à laquelle opposer un matérialisme absolu, mais dont l'élaboration surprendra sans doute ceux qui réduisent un tel courant à la constatation de l'univers matériel et à l'affirmation de sa pleine suffisance.

L'ambition de Badiou est d'élaborer un matérialisme ontologique, et, pour cette raison, ce n'est pas l'explication physique du monde qui suffira.

Il n'y a de philosophie de la lucidité que dans la reconnaissance du vide. La philosophie n'est donc pas un discours sur l'essence mais sur l'anti-essence, anti-essence qu'elle peut et doit cependant déterminer rigoureusement. En réalité, la philosophie est ce qui reconduit la vérité au vide. Elle ne produit en elle-même aucune vérité, même si elle croit le plus souvent être la détentrice de telles et entières et souveraines vérités. Cela ne signifie pas du tout qu'il n'y a pas de vérité, comme l'entendent par exemple les sophistes, ou qu'elle se réduit à une conformité aux règles, ainsi que le voudraient ceux qui s'en tiennent aujourd'hui à l'analytique de la signification. Au contraire : la vérité est le propre de l'homme, ou plutôt du sujet en l'animal humain. Nous devenons sujet dans la mesure où nous produisons des vérités.

Car la vérité ne sera certainement pas quelque chose d'idéel, l'objet d'une contemplation, mais viendra d'un travail, d'une procédure concrète où le sujet se fait, ici même, dans l'être ainsi supplémenté par l'humain. Mais elle ne reconduit qu'au vide, en vérité, et celui qui croit qu'elle a un quelconque contenu, qu'elle est autre chose que l'endurance avec laquelle nous persistons à faire de son vide une trajectoire infinie qui transforme cependant le donné et l'opinion manque l'exigence propre au matérialisme.

Il y aurait ainsi, pour Badiou, une puissance du vide, non pas au sens d'un pouvoir, mais au sens où le vide doit suffire, par la soustraction qu'il est au regard d'un déterminé, à saisir la détermination. Il ne faut donc pas confondre véridicité et vérité. Une véridicité est effectivement un savoir constitué – une signification – ; mais les véridicités existent pour autant que la vérité fasse trou dans leur savoir ; se soustrayant, elle permet à ces déterminations finies de se démultiplier – en vain – à l'infini, donnant effectivement à l'homme le sentiment du savoir. Néanmoins, la confusion du savoir et de la vérité est ruineuse, et rate totalement la distinction que Lacan avait autrement en vue, entre symbolique et réel.

Si la philosophie ne produit pas de vérité, pour son compte, elle seule peut conserver l'identité du vide et de la vérité, et montrer en particulier comment en son époque cette identité nécessairement déniée travaille cependant dans les savoirs. Le vide de la vérité est certainement éternel, et l'éternité, ainsi entendue, est un concept parfaitement laïque ; mais la vérité est aussi et surtout une procédure par laquelle un sujet persévère à l'infini en transformant le donné au nom de ce vide qui ne saurait jamais être adéquat à l'il y a, aux données, structures et opinions : c'est dire que la vérité n'admet que des procédures singulières, en même temps qu'elle convoque nécessairement l'universel par l'effet d'un vide en bout de course ; car l'universel n'est nullement le bel accord classique des esprits, mais la manière dont tout sujet affronte le vide. Il s'en suit qu'il y a des procédures de vérité, relatives aux sujets et aux époques, et que la tâche de la philosophie est elle-même infinie si elle doit à chaque fois montrer comment les vérités singulières de son temps reconduisent à l'éternité vide de la catégorie de vérité. Badiou ne saurait croire, en ce sens, en une quelconque fin de la philosophie.

Mais si la philosophie a pour tâche d'articuler les vérités de son temps à l'éternité du vide de la catégorie de vérité, et qu'elle n'en produit pas par elle-même, où trouverons-nous ces productions ? Badiou nomme conditions – de la philosophie, et du sujet humain – les quatre procédures, chacune spécifique, dont un humain est capable. Il y a de la vérité dans la mesure où il y a de l'art, de la science, de l'amour, et de la politique. Chacune de ces quatre conditions produit des vérités, selon des procédures distinctes les unes des autres. C'est dire que le sujet n'est nullement ce centre ou cette raison de l'être capable de déployer sa magnificence dans de telles aptitudes ; bien plutôt, il n'existe dans l'animal humain que pour autant qu'il s'efforce de saisir quelque chose de l'être, de l'événement et de lui-même – mais le vide en dernier lieu – à partir de ces conditions. Cela ne nous institue évidemment pas en savants, artistes, amoureux ou politiciens professionnels : chacun peut être – et devient effectivement – sujet pour peu qu'il connaisse, qu'il éprouve, qu'il aime, enfin qu'il en vienne au tous, comme à son affaire propre.

L'ontologie de Badiou

Il est impossible de rentrer dans l'analyse des conditions sans d'abord comprendre comment une vérité peut exister ; et de même est-il impossible de saisir l'existence des vérités sans d'abord constituer une ontologie. La démarche générale de *L'être et l'événement* est la suivante : Badiou constitue une ontologie puis il montre comment quelque chose s'en excepte, l'événement. S'initiant de cet événement, des vérités peuvent apparaître, où se lira ce qu'est le sujet. L'exception et les procédures qu'elle libère s'inscriront paradoxalement – mais rigoureusement – sur le champ ontologique au préalable élaboré. Là encore, si l'être précède la pensée, le matérialisme impose de construire le sujet en dernier lieu, instance problématique de toute part prise dans l'immanence de l'être. Il nous faut donc, en premier lieu, dire deux mots de l'être.

Intervient ici dans le système de Badiou une proposition centrale selon laquelle l'ontologie, c'est la mathématique, et elle seule, qui la réalise. Proposition qui peut surprendre pour au moins trois raisons : une des quatre conditions serait donc en même temps le discours sur l'être ? A supposer même qu'on admette cette torsion, en quoi et pourquoi les mathématiques nous donneraient-elles l'être des choses ? Et comment relier une telle affirmation au matérialisme, alors que les mathématiques sont la science des idéalités ?

Etonnement qui a sa légitimité. Nous pouvons cependant formuler dès maintenant trois remarques :

1. Qu'une des quatre conditions puisse être dite par Badiou ontologie s'expliquera par la fonction de la philosophie : ni elle ne doit perdre de vue l'éternité vide de la catégorie de vérité, ni elle ne doit oublier la singularité de son époque. Or, la philosophie, pour Badiou, non seulement peut se greffer d'une manière illusoire sur ses conditions (positivisme pour la science, marxisme pour la politique ou psychanalyse pour l'amour) mais aujourd'hui souffre d'un rapport à la poésie – Heidegger – dont il convient de la déniaiser. Il est donc urgent de montrer que, si une ontologie peut être élaborée, c'est du côté de la stricte scientificité qu'il faut en dégager les réquisits, de telle sorte que, délestée de l'ontologie, la philosophie puisse travailler à sa tâche : concevoir le sujet, et la compossibilité des conditions.

De plus, un tel travail est encore philosophique : car s'il est vrai que l'ontologie s'accomplit dans la mathématique, la mathématique, elle, peut très bien ne rien en savoir. Disons donc que l'ontologie est la mathématique – philosophiquement – interprétée. Cela contre le romantisme de l'être auquel conduit inéluctablement la suture de la philosophie à la poésie, et cela en vue de disposer d'un champ adéquat à la pensée d'un sujet et de ses vérités.

Mais sans doute la pensée de Badiou est-elle plus profonde, et l'œuvre en devenir : c'est en suivant chacune des quatre conditions, mais aussi leurs irréductibles différences, que le philosophe pourrait, peut-être, tenter de dire quelque chose – un bout aurait dit Lacan – de l'être et du sujet. Et la convergence impossible serait l'ultime soustractif. En ce sens, *L'être et l'événement* s'empare magistralement d'une de ces conditions.

2. Pourquoi les mathématiques seraient-elles l'ontologie ? Parce qu'elles sont pensées du vide, et du multiple, et qu'elles pensent le vide et le multiple selon l'indigence de l'être, qui est aussi son inhumaine légalité, son atonie originaire et terminale. La stricte rationalité n'est pas pouvoir humain d'illuminer

l'être, mais plutôt le signe qu'un humain se confronte à l'inflexibilité de l'être. La loi n'est pas humaine ; et l'indifférence de l'être ne peut se donner qu'ainsi, comme cette immanence parfaitement réglée.

S'égarent ceux qui hypostasient l'Intelligence du monde sous prétexte de son architecture mathématique, ne discernant pas que la mathématique est l'ascèse inhumaine. Aussi bien, si la philosophie n'a cessé d'élaborer des ontologies, et les amphibologies qui s'en suivent, c'est faute de n'avoir su suivre le règlement mathématicien de la question de l'être. Dès lors, Badiou pourra mener l'analyse des systèmes philosophiques à partir de ce qu'ils n'ont pas su soutenir des mathématiques pures.

Evidemment, Badiou n'ira pas chercher le sens de l'être dans un quelconque théorème d'arithmétique. Son ambition est en fait inséparable d'une théorie, la théorie des ensembles, dont Cantor élabora il y a un siècle les bases et qui fut constamment retravaillée par les mathématiciens tout au long du vingtième siècle : Russell, Zermelo, Fraenkel, Gödel, Jensen, Cohen, Easton – pour ne citer qu'eux. La théorie des ensembles a en effet cette particularité d'apparaître à première vue comme la théorie des théories. C'est dire que tout être mathématique et toute opération – nombres, fonctions, figures – peuvent être exprimés dans le langage des ensembles.

La théorie des ensembles est unificatrice au plus haut point : elle montre qu'il n'est et qu'il n'a jamais été question, dans les mathématiques, que d'éléments, d'appartenances et d'ensembles. La proposition de Badiou est donc la suivante : l'ontologie, c'est la mathématique, et la mathématique, c'est la théorie des ensembles. Pourquoi cela ? Parce qu'il n'y a pour elle – nous verrons comment – que des multiples réglés et du vide, que tel est le dicible de l'ontologie, et que sa richesse exceptionnelle permet d'explorer les structures de l'être, avec cette rigueur contraire aux fantasmes et au romantisme de la philosophie encore religieuse ou herméneutique.

3. Un matérialisme des mathématiques ? C'est cela même – l'on a dû pressentir que la reconduction de l'ontologie à la

déductibilité était déjà un geste intrinsèquement matérialiste. Mais l'on pourra s'étonner : qu'est-ce donc que cette matière si elle semble s'apparenter aux constructions idéales de l'esprit humain ? D'autant plus que Badiou affirme être un « platonicien du multiple » – de fait les quatre conditions faisaient signe, déjà, vers Platon. Mais c'est le platonisme de Badiou qui soutient parfaitement son matérialisme, si étrange que cela puisse paraître : le platonicien répudie en effet tout constructivisme mathématique, point essentiel. Certes, la pensée du mathématicien procède – hypothèse, vérification, voire intuition ; de fait, il y a une procédure de vérité scientifique. Mais il ne faut pas confondre, pour Badiou, les actes du sujet déductif avec les structures mathématiques en soi, éternelles, actuelles, sans mouvement ni attente : en ce sens, il y a platonisme de Badiou, qui affirme que les mathématiques sont l'être même, vers lequel nous faisons effort. Nullement nous ne construisons les mathématiques, et il serait donc tout à fait incorrect de croire qu'elles sont des produits idéaux de l'esprit. En affirmant ainsi la réalité ontologique des mathématiques, Badiou peut nouer d'une manière saisissante les ressources de la pensée de Platon avec un matérialisme d'un nouveau genre.

Car matière ne peut signifier qu'une chose pour un philosophe contemporain : non pas le déterminé physique, qui ne permet pas d'entrer dans le projet matérialiste de Badiou – réellement une ontologie – mais multiple, multiplicité. Concept dont l'extension permet non seulement de penser la structure matérielle proprement dite, mais au-delà de celle-ci toutes sortes de complexes de choses, de faits, et d'énoncés qui formeront ce que Badiou appelle une situation. Situation qui ne laissera subsister dans sa composition aucune énigme, aucune catégorie magique – mais certes beaucoup de complexités réglées, infinies – et qui pour cette raison répond à l'exigence authentiquement matérialiste. Et c'est cette matière qui est de part en part l'objet de l'ensemblisme : multiples de multiples.

L'inconsistance du multiple

Badiou intervient d'une manière saisissante dans le débat sur la nature des idéalités mathématiques. Non pas que son projet soit de portée épistémologique ; bien plus : en fondant l'ontologie sur les mathématiques, et en reconduisant l'ontologie au vide et aux multiples, Badiou métamorphose la conception traditionnelle des mathématiques : la qualité formelle de la déductibilité mathématique est habituellement prise pour expression d'une consistance de la pensée et de l'être, voire pour l'architecture secrète ou divine du réel.

Or, Badiou interprète tout au contraire la déductibilité : elle est ce déploiement de l'être qui est inséparable de son indigence, et, en dernier lieu, de son inconsistance.

Les mathématiques, en tant qu'activité humaine, sont la difficile science de l'inconsistance ; elles nous donnent à penser, au-delà des structures sensibles, et des organisations d'opinion, la manière dont chaque étant se dissémine et s'agrège en multiples, si bien qu'elle reconduit chaque chose, et chaque situation à des complexes stellaires habituellement forclos par les habitudes humaines.

L'unité – d'un objet – est un fantôme. Rien n'a en soi une quelconque unité. Mais tout ce qui nous est donné, certes, est structuré, c'est-à-dire mis en Un par quelque opération. Les ensembles vont justement montrer qu'il n'y a de présentation que structurée – c'est-à-dire comptée pour Un par l'ensemble – mais que tout ce qui est présenté relève en dernier lieu du multiple. L'unité est transitoire, évanouissante, opératoire ; ou plutôt elle signifie que la présentation est donnée dans des limites qui font justement apparaître quelque chose – tel ou tel ensemble – mais sans que cet apparaître soit autre chose qu'une composition de multiples de multiples.

Reprenons la question. L'homme se meut habituellement, en particulier par la force du langage, dans un espace ontique. L'onticité est dans la forme de l'Un : l'objet est donné en unité, voire en totalité : un ordre et une finitude pauvres règnent. Au contraire, une dimension ontologique est déployée quand cette unité apparente est déconstruite, et se trouve exposée en compositions de multiples, elles-mêmes localisées dans des multiplicités infinies. Il n'y aura pas de totalité, c'est-à-dire cette forme d'unité définitive ou terminale. Toute présentation est strictement locale. La présentation admet toujours une autre présentation dans laquelle elle est prise. Inversement, son intériorité est actualisée par de nombreux multiples, et cela, en droit, jusqu'aux infinis.

Une présentation est habituellement construite par des réquisits ontiques. Mais une présentation sera comprise ontologiquement pour peu que l'on fasse apparaître sa pure multiplicité. Cela revient à dire que le multiple n'est plus rapporté à, qu'il n'est plus le prédicat d'une substance. Le multiple n'est plus à l'Un : toute consistance apparente est analysée en son inconsistance. En effet, si le multiple n'est pas à l'Un, il sera à son tour multiple de multiple, et cela sans fin assignable. Cet infini a aussi bien pour autre nom le vide : tout multiple est multiples de multiples, aux infinis, si bien qu'en dernier lieu tout multiple est multiple du vide, seul nom recevable de l'être en tant qu'Être.

L'inconsistance est la fois cet excès d'infini dont l'homme n'est pas à même de pourvoir la pensée définitive, mais qui délivre la matière ultime de l'être ; et ce seul point d'arrêt dans notre présentation : le vide.

Suivons l'articulation des concepts à partir de la différence entre l'étant et l'être. Tout étant est une certaine configuration du multiple livrée à l'homme. L'étant est l'affaiblissement de l'être multiple, infini et vide, se présentant avec un certain coefficient d'unité. Alors, l'inconsistance laisse paraître une relative consistance, l'a-signifiance une relative signifiance, et l'infini se laisse déterminer en fini.

Il nous faut donc bien voir que nous n'avons accès à l'être, et donc à la multiplicité intégrale, qu'à partir d'une réduction qui est précisément sa limitation, ou configuration, en Uns. Le multiple n'est donc vu et su qu'à la condition d'être déjà structuré, et d'être ainsi donné avec un certain coefficient unitaire. Mais pour autant, l'Un n'est pas quelque chose.

Finalement, l'étant se dit à partir de l'être, la consistance à partir de l'inconsistance, comme la signifiance à partir de l'a-signifiance, le fini à partir de l'infini, la matière à partir du vide, l'un relatif à partir du multiple.

La mathématique comme ontico-ontologie

Nous sommes ici à l'opposé du chant romantique de Heidegger : la science ne penserait pas l'Être.

Tout au contraire : l'Être est intégralement multiples déductibles. Soit une *théorie matérialiste de la différence ontico-ontologique*. Les mathématiques seront cette expérience où la pensée humaine affrontera une sorte de maxima ontologique logique, en même temps qu'elle abandonne, autant qu'il est possible, les habitudes ontiques, les faiseuses d'unité. Les mathématiques ne donnent évidemment pas, quelque part, au détour d'un théorème, l'être en tant qu'Être ; mais elles en sont l'approche même. Travail sur des multiplicités quasiment pures et vides – car tel est pour nous ce que l'inconsistance peut finalement signifier. Et Badiou interprétera avec précision les effets de l'inconsistance originaire dans le détail des procédures mathématiques qu'elle ne cesse de hanter. La structure est aussi bien cette hantise. Nous recueillerons ainsi l'être de l'étant dans l'opération mathématique, au lieu de le laisser suspendu à quelque mystère – contre Heidegger. Et nous tresserons la manière dont la consistance la plus exigeante reste informée par l'inconsistance.

Mais en quoi les mathématiques permettraient-elles de nous donner à voir cette multiplicité ? Il faut revenir à ce que nous disions, à savoir que la diversité des procédures et des objets mathématiques peut toujours, selon Badiou, être interprétée par les Idées de la théorie des ensembles. Nombres, figures, fonctions sont en réalité des ensembles. C'est dire que la mathématique ne s'occupe que de multiplicités légales.

Il faut bien voir que la mathématique admet des niveaux ontico-ontologiques. Toute personne pratiquant un tant soit peu les mathématiques sait que l'idéographie recueille aisément des concepts ensemblistes. Un point appartient à une droite ; il est élément de cet ensemble ; 5 appartient à l'ensemble des naturels.

Par ailleurs les mathématiques modernes ont tenté une présentation des concepts à partir de l'ensemblisme. Le caractère déjà obsolète de la mode pédagogique des mathématiques modernes ne doit pas dissimuler l'essentiel, ni le fait que dans les écritures le plus souvent pratiquées l'ensemblisme apparaisse à la manière d'éclats, d'éclairs ou de fragments pris dans le corps du texte. La reconduction des objets et des opérations à l'ensemblisme est en droit toujours possible. Mais comme la théorie travaille au niveau le plus élémentaire, une telle reconduction n'est pas le plus souvent effective dans le travail mathématique : inutile, complexe, fastidieuse – bien qu'immanente à ce qui est pensé –, elle reviendrait, pour user d'une analogie, à comprendre toute programmation, dans le domaine informatique, à partir du binaire, alors que les langages de programmation travaillent déjà à un niveau humainement plus maniable, et cela bien qu'ils soient toujours, en leur fond, langage binaire.

Il faut remarquer, que l'évolution des mathématiques peut néanmoins interroger le caractère impérial de l'ensemblisme. Deleuze note – peut-être malicieusement – que même les mathématiciens en ont assez de l'ensemblisme. La théorie de Badiou reste-t-elle arrimée à un moment du développement des mathématiques ? Le pouvoir synthétique de la théorie des ensembles est indéniable ; mais il certain, par ailleurs, que les mathématiques disposent d'autres champs. En tous cas, loin de s'en tenir à ces développements, Badiou annonce que la théorie logique des catégories lui fournira les moyens de concevoir la question de la relation, et qu'il faudra, dans ces *Logiques des mondes*, corréler les deux théories. Il a donné quelques aperçus du problème dans son *Court Traité d'ontologie transitoire.*

Il semble, en tous cas, qu'il est tout à fait pertinent d'interpréter les différentes idéographies maniées par les mathématiciens comme des niveaux ontico-ontologiques qui travaillent à l'intérieur des mathématiques. Heidegger, on le sait, excluait que la différence ontico-ontologique puisse subir une réduction au logico-mathématique. Badiou montre, au contraire, que la différence se trouve pensée au centre des mathématiques, mais que celles-ci admettent une sorte d'opérateur (qu'il ne thématise peut-être pas assez) découvrant plus ou moins l'ontologique dont elles sont toujours porteuses.

Lorsque les mathématiques s'explicitent en ensembles, ce maxima ontologique est atteint, et nous entrons alors dans le règne du multiple pur et du vide, qui est la direction même de toute mathématique. Mais les mathématiques peuvent admettre des structures moins explicitement ontologiques, parce que les objets envisagés – ce triangle, ce nombre, cette fonction – sont des présentations prises comme telles, des unités constituées dont on oublie la composition multiple pour opérer plus aisément.

Ontique et ontologique, unités et multiplicités ne cessent ainsi de s'inscrire et de s'excrire dans le champ déductif.

Mathématisme, actualité de l'être, et ascèse humaine

Il n'y a pas, pour Badiou, un virtuel où le provisoire du réel s'informe et se reforme ; la variabilité ontico-ontologique, dont la compréhension est la clef suprême de toute philosophie des mathématiques, n'a pas du tout le sens d'un tel jeu. Ne dessine-t-elle pas, pourtant, un spectre de possibilités, au fur et à mesure que l'on tend vers la considération de l'unité relative ou de la multiplicité toujours immanente et sans fond ?

Il faut bien voir que le mathématisme de Badiou désigne toujours une appréhension absolue dont le sujet, dans son effort a-subjectif, n'est capable qu'en approche. Ce qui veut dire que s'il y a toujours une part de sujet dans la manière dont nous mathématisons l'être, celle-ci n'est pas, à proprement parler, la mathématique. L'homme ne peut que tendre vers les mathématiques pures, et c'est la raison pour laquelle on peut toujours déceler dans un tel mode de connaissance des opérations et des orientations dues à la subjectivité déductive, et qui sont les manières dont nous parvenons à circuler dans la mathématisation du monde et de l'être – mais opérations, orientations, circulations, constructions, mises en évidence et en relations, *etc.*, ne sont pas constitutives de l'être mathématique en lui-même.

Platonisme de Badiou. Le procès et le trajet du sujet sont seulement la marque qu'ici aussi il y a une fidélité, une procédure de vérité, fidélité qui tend vers la légalité et la défaite du hasard, vers l'être inhumain qui de toute part règne avec indifférence.

Ainsi ne peut-on, selon Badiou, réintroduire les catégories deleuziennes dans la mathématique – qui supposeraient alors le virtuel, le mouvement dans le travail du mathématicien – sans confondre l'être mathématique et l'approche humaine. L'être mathématique est en lui-même cette multiplicité actuelle infinie. Ainsi des nombres : le passage d'un nombre à l'autre est humain, mais le nombre en lui-même est sans passage. L'infinité des nombres précède la construction et la contemplation dont nous sommes capables, partiellement. De même, et à titre de simple exemple, la somme (naïvement kantienne) 7+5=12 ne suppose pas un être de l'opératoire et un sujet conditionnant qui l'effectue : l'opération n'existe pas en soi ; elle est la simple marque pour notre pensée, qui les affronte, de la persévérance et de la stabilité de certains types d'ensembles. C'est pourquoi un ensemble est indifférent à la temporalité, ou à l'ordre d'inscription de ses éléments.

La variabilité ontico-ontologique dénote donc notre incapacité à accéder une fois pour toutes, et absolument, à la multiplicité radicale de l'être, qui se tient avant tout mouvement, et sans nulle virtualité, dans l'actualité infinie. L'infini est donné. Mais nous ne saurions voir en face l'Être – en tant qu'Être –, et nous ne cessons de réinstaurer l'onticité dans l'Être, rétablissant l'unité d'assurance des choses, identifiant l'humanité d'une vision faite de relationnel et de mouvement à l'Être même, cependant en lui-même multiple, délié, actuel, et anonyme.

Il faut donc conclure que la mathématique, particulièrement l'ensemblisme, est une ontico-ontologie – minima ontique, maxima ontologique.

Dans les faits, Badiou emploie indifféremment ontologie afin de désigner l'ontologie proprement dite (l'être en tant qu'être est le vide) et l'ontico-ontologie (l'étant en tant qu'être est multiple). Mais cette ambiguïté est tout à fait cohérente dans sa perspective parce qu'on ne saurait délier l'être de l'étant sans retomber dans les arcanes de l'Être majuscule de Heidegger, qui surplomberait comme une énigme les étants au lieu de localiser le vide interne à ces étants. L'être est transitif, le vide est vide de quelque chose. Une ontologie refusant tout mysticisme est nécessairement une ontico-ontologie.

L'ensemblisme

Il n'est évidemment pas dans notre intention de présenter le système mathématique des ensembles. Mais il est nécessaire de savoir que l'ampleur des vues de Badiou est inséparable d'une analyse fine des développements de la théorie des ensembles. Nous nous contenterons, présentement, d'aller aux résultats. C'est-à-dire d'indiquer quelle figure du multiple se profile.

1. Tout multiple a pour matière ultime le vide, l'ensemble vide (Ø). Cette unique réalité des multiples suffit à déployer leur existence et leur prolifération. A titre d'exemple, les ordinaux – les nombres naturels – ne sont que des successions d'ensembles tissés de vide.

2. Un multiple est présenté lorsque son appartenance à autre multiple est donnée. Par exemple : $\alpha \in \beta$. Le multiple α appartient au multiple β. On dit aussi que α est élément de l'ensemble β. Mais il n'y a aucune différence de nature entre un élément et un ensemble. L'un et l'autre sont des multiples. Et l'ensemble n'est pas une totalité dont l'élément serait un membre. La présentation distingue des multiples de multiples. $\alpha \in \beta$ signifie que le premier multiple est présenté dans l'être du second. La présentation explore ainsi l'immanence des multiples.

3. L'immanence est absolue. Autrement dit : il n'y a pas d'Ensemble de tous les ensembles, de Totalité.

4. De même, nul multiple n'appartient à lui-même. Nous n'avons jamais $\alpha \in \alpha$, ce qui serait admettre l'être de l'Un, l'autonomie circulaire et la transparence à l'égard de soi.

5. L'Un n'a qu'un statut opératoire. Il est la mise-en-un de la présentation. Tel multiple est donné, considéré. Il ressort seulement de notre capacité à présenter par la distinction du signe l'immanence multiple : c'est α, c'est β.

6. L'identité A=A ne s'écrit donc pas dans l'ensemble. Elle n'est donnée, à l'extrême limite, que par la consistance de la distinction et de la nomination qui vient du signifiant. Je considère tel ou tel multiple, je le compte pour un. Et ce qui se trouve mobilisé, pour la pensée, à partir de ces signifiants, est l'impossibilité, quant à l'être, de l'identité. Sa possibilité toute relative vient de la nomination, la distinction, la considération de quelque chose (un α) dans l'infinité multiple. L'identité n'est pas une loi de l'être mais un effet de l'homme, et de son incapacité à soutenir jusqu'au bout la multiplicité.

7. Toutes les propriétés, à partir de la neutralité vide, sont immanentes aux distinctions entre multiples. Une propriété n'existe pas en soi ; elle est la reconnaissance d'un multiple dans un multiple déjà donné. Autrement dit : l'être précède le langage. Le langage n'y opère que des distinctions dites qualitatives mais qui sont en fait des distinctions entre multiples.

8. Les ensembles admettent une légalité, le système Zermelo-Fraenkel, qui régule leur être dans le détail. Ce point mériterait une étude approfondie.

Présentation, représentation, excès

L'interprétation par Badiou de la théorie des ensembles trouve son point central dans l'usage qu'il fait des concepts de présentation et de représentation. Ces derniers correspondent à la différence mathématique entre appartenance et inclusion. Cette différence nous conduira à l'excès exorbitant de l'être sur la pensée. Elle permettra par ailleurs de penser la localisation de l'événement dans la structure de l'être.

Mathématiquement, les choses se disent ainsi : tout ensemble admet des sous-ensembles.

Tout ensemble admet donc l'existence parallèle d'un ensemble de ses sous-ensembles, noté $p(\alpha)$ pour α. Est inclus dans α, sous-ensemble de α, tout ensemble dont les éléments appartiennent aussi à α. Ce qui signifie que l'inclusion ne repose pas sur un schème distinct de l'appartenance mais qu'elle instaure une sorte de dédoublement infini de son inspection.

Exemple :

$J=\{\alpha, \beta, \gamma\}$

$p(J)= \{\{\alpha\}, \{\beta\}, \{\gamma\}, \{\alpha, \beta\}, \{\alpha, \gamma\}, \{\beta, \gamma\},\{\alpha, \beta, \gamma\}, \emptyset\}$

$\subset$ dénote l'inclusion, on a : $\{\alpha, \beta\} \subset \{\alpha, \beta, \gamma\}$ et $\{\alpha, \beta\} \in p(J)$

On notera que l'ensemble vide est universellement inclus. Ce qui, pour Badiou, fait symptôme d'une errance du vide dans le corps des ensembles. De manière générale, pour un ensemble à n éléments, on aura 2 puissance n éléments pour l'ensemble des sous-ensembles. Il y aura donc un excès irrécusable.

Quelques distinctions, en passant, sont nécessaires à l'intelligence de la déductibilité ensembliste : nous n'avons jamais $\{\alpha\} \in \{\alpha\}$ mais toujours $\{\alpha\} \subset \{\alpha\}$ et $\alpha \in \{\alpha\}$, $\{\alpha\} \in p(\{\alpha\})$; de même nous n'avons jamais $\{\alpha, \beta\} \in \{\alpha, \beta\}$ mais $\{\alpha, \beta\} \subset \{\alpha, \beta\}$.

La représentation d'une présentation – que Badiou appelle également la méta-structure – a donc une double signification.

1. La représentation montre que toute présentation est en excès sur elle-même et qu'une présentation ne peut se clore en Totalité. Aussi bien pouvez-vous penser ensuite l'inclusion régissant l'ensemble des sous-ensembles d'un ensemble premièrement donné... Vertige. Il y aura donc une pensée constante à tenir, dans l'inspection du multiple, entre le donné présentationnel et le donné représentationnel.

2. Elle ouvre à une typologie de la présence/absence de l'être au regard de la capacité de discernement humain. a) Un multiple sera dit normal s'il est à la fois présenté et représenté, s'il appartient à la situation et y est inclus. b) Mais un multiple peut fort bien être singulier : il suffit pour cela qu'un multiple (x) appartienne à un multiple (y) présenté dans la situation, mais qu'il ne soit lui-même présenté que par l'entremise de ce multiple (y). Alors un tel multiple (y), lui-même présenté mais dont la composition n'est pas pointée par la situation, ne pourra être connu en sa composition interne par la méta-structure comme ce sous-ensemble de la situation. Quelque chose de son être échappera à cette méta-structure. Il sera singulier. c) Enfin, un multiple peut être une excroissance de la présentation. Il n'est pas donné dans la situation mais il forme un aspect de la représentation par les combinaisons qu'elle propose entre les présentés. Voyez l'exemple.

En somme, l'ambiguïté perpétuelle de la présentation et de la représentation montre clairement comment il est possible que l'être ne cesse de se donner à la fois en déterminé et indéterminé, en apparaissant et inapparaissant, étant et être. Elle montre qu'il y a toujours une part à faire au vide dans toute présentation, précisément parce que celle-ci est toujours en excès sur elle-même, et cela dans son actualité même. La représentation combat le vide en re-structurant la structure mais l'excès qu'elle produit ainsi montre aussi qu'il y avait, effectivement, du vide, et de l'imprésenté, en celle-ci ; et de même s'assure-t-elle de la structure en sa totalité comme d'un élément, effectivement, de la méta-structure (pour une situation {x,y} on a {x,y} inclus dans {x,y}). Mais elle montre, en même temps, que l'unité d'une présentation ({x,y} pour {x,y}) n'est qu'un multiple d'une constellation plus vaste, et non une totalité surplombante ou organique. La représentation est pensée du vide sous-jacent à toute présentation, non moins que pensée du caractère purement occasionnel de la totalité et de l'unité.

La représentation ouvre à une relecture des grandes amphibologies de l'histoire de la philosophie, abusée par l'Un et le Tout. De manière générale, elle exhibe la sub-structure du destin de l'orientation de la pensée :

a) La pensée constructiviste tente d'éliminer l'excès et de nier le vide errant en n'admettant à l'être que le nommable, le repérable. Sa juridiction est langagière. Elle a une expression ensembliste dans l'univers constructible, signé Gödel.

b) La pensée transcendante tente de maîtriser l'excès par le haut, c'est-à-dire en bouclant l'échappée d'une situation : existence d'ensembles dont la puissance supérieure connaît cette échappée. On y reconnaîtra sans peine l'effort métaphysique vers Dieu. Son schème est la doctrine des grands cardinaux.

c) Enfin la pensée générique, seule, assume l'errance de l'excès. Elle sera badiousienne.

Appartenance, nature, et infinis

L'infini est le nom du multiple rendu à la visée ontologique. Toute présentation est limitée, mais elle est en droit infinie. C'est qu'il faut une fois de plus renoncer aux images lumineuses – celles de la métaphysiques, celles où se maintient la phénoménologie aujourd'hui encore. Voir est ne point trop voir, et suppose un aveuglement nécessaire à la conception même ; la restriction de la présentation est vitale. Ce qui est donné à l'homme est toujours en deçà de l'abîme véridique des multiplicités. Si l'infini est de ce point de vue équivalent au multiple, la théorie mathématique n'en théorise pas moins sa nature dans la construction de certains ensembles, que Cantor, le premier, nomma des alephs. Retenons simplement que pour un cantorien, comme Badiou, on ne saurait parler de l'Infini – figure où permanent l'Un et le Tout. L'infini est laïque dès lors que l'on saisit qu'il y a des infinis, singuliers ; et qu'aucun d'entre eux n'aura la grâce d'envelopper ainsi quelque totalité – ce serait aussi bien l'ensemble de tous les ensembles, interdit par l'axiomatique. Ce qu'il y a, donc, c'est une prolifération réglée d'infinis, tous distincts. Remarquons qu'à partir d'un premier infini, l'aleph zéro pour Cantor, rien n'empêche la conception de l'ensemble de ses sous-ensembles, ni la réitération de la procédure : les infinis ne cesseront alors de se distinguer, et cela selon maintes constructions subtiles – par exemple par leur union.

Conséquence essentielle : la démesure de l'excès d'une représentation sur une présentation devient incommensurable. Cantor se consuma en vain à essayer de prouver que l'infini immédiatement successeur à l'aleph zéro était l'ensemble de ses sous-ensembles, ce qui eût mis de la continuité. Mais on sait depuis, par le théorème de Easton, que la béance ouverte rend déductivement possible d'admettre à peu près n'importe quel infini successeur pour représentation d'une présentation infinie. Autant dire que c'est dans cette impasse – qui est aussi un choix – que le destin des discours sur l'être se fait, le fini – dont l'excès était maîtrisable à 2 puissance n pour n – ne venant toujours qu'en second lieu, appauvrissement structurel des infinis.

Nous pouvons alors dire quelques mots de la nature badiousienne, et tout d'abord qu'il faut récuser que ce mot, nature, enveloppe quelque substance. Il n'y a pas La Nature – parce qu'il n'y a pas de Tout. Il y a des multiples infinis et leur localisation ; mais il n'y a pas de globalité. La dissémination prescrit un régime sans fin : l'immanence n'est point un cosmos, ni même un chaos, mais l'impossibilité d'une totalité d'où naît la possibilité même des singularités : vous ne vous trouveriez pas ici si cet ici était globalement quelque part. Vous pouvez toujours inscrire la situation, mais du point de vue d'une autre situation...

La nature est cependant homogène et c'est ce qui explique son exploration toujours possible. Ses multiples sont transitifs, c'est-à-dire normaux, aux yeux de qui l'inspecte. Les connexions entre multiples s'y ordonnent invariablement. Son inhumanité est sans surprise ; des déterminations y sont toujours possibles ; cela implique en même temps que chaque détermination – chaque loi, c'est-à-dire chaque propriété – trouve un point dernier au-delà duquel elle n'est plus validée. Sans cela on ne saurait concevoir aucune propriété puisque tout pourrait être propriété pour n'importe quoi. Schème pour une pensée de la physique...

On se demandera, finalement, ce que peut bien signifier l'appartenance, c'est-à-dire ce seul motif logique qui anime la conception des ensembles. Question cruciale. Il faudra remarquer, tout d'abord, à quel point l'humanité ne cesse de concevoir en termes d'ensembles et d'éléments.

Le petit garçon range sa chambre. Le professeur analyse et synthétise. Le chirurgien ouvre et réorganise un corps. Un ballon entre dans un but. Il est clair qu'inaperçue ou non la logique des appartenances nous hante. Mais ce n'est pas l'appartenance qui est spatiale ; c'est l'espace qui renvoie à l'appartenance – et c'est pourquoi les diagrammes scolaires rendent très mal compte de la finesse des procédures axiomatiques de la théorie. A ce titre, l'appartenance n'est ni l'inhérence, ni la relation entre un multiple et un autre – mais ceci qu'un multiple *est* d'un autre multiple.

La difficulté à saisir ce qu'est l'appartenance est précisément le signe de son caractère ontologique. Sa généralité est celle de l'être. L'appartenance devrait alors pouvoir ouvrir, à partir de sa neutralité, à une description de ses différents régimes – être-à, être-dans, être-pour, *etc*. Il est clair, par exemple, que ce n'est pas de la même manière qu'un objet appartient à une pièce et qu'un organe appartient au corps – et de même tel aspect d'un corps n'appartient pas au corps de la même manière qu'un autre, cheveux végétaux et cœur vital – : mais Badiou n'a pas (encore) développé cette thématique, cependant essentielle. En s'orientant néanmoins vers une pensée des relations logiques entre multiples – la théorie des catégories –, il devrait nous donner quelques éclaircissements. Ceux-ci sont d'autant plus nécessaires que se pose la question, immense, du rapport entre les ensembles et la physique, la biologie, les sciences humaines.

L'être, l'événement

La configuration de l'étant est implacable, et froide, en son infinité mathématique. Mais il se peut qu'advienne quelque chose, ou plutôt autre chose. Quoi donc ? Certainement pas une structure de plus. Mais une occurrence du vide de l'être dans l'ontico-ontologie, qui suffira à nous donner à penser, à aimer, à éprouver, et à militer – science, amour, art, et politique. Cette rupture, qui est aussi un supplément, ne se donne nulle part ailleurs qu'ici, dans l'immanence multiple, et elle n'est donc pas une transcendance ; ce qui revient à dire que sa possibilité doit être inscrite dans l'ontico-ontologie, bien qu'en elle-même elle ne soit pas réductible à la légalité mathématique. Cette possibilité est ce que Badiou nomme un site événementiel. Un site est toujours local. Il n'y a pas d'Evénement de l'Être. Il se peut qu'un tel site soit reconnu comme lieu d'un événement, ou nié. Mais sa possibilité ontologique est en tous cas contenue dans un axiome de la théorie, l'axiome de fondation, qui dit qu'il est toujours possible qu'une situation contienne des multiples anormaux. Or, le multiple anormal, ou singulier, est tel que le vide rôde en lui : nous savons qu'il appartient à une situation, mais nous ne savons pas ce qui le compose, lui. Il peut être dit au bord du vide.

Autrement dit : Badiou cherche la condition de l'événement dans la variation ontico-ontologique des structures de la présentation. L'étantité est toujours reconductible en partie au vide de l'être, ici ou là. Et cela suffit, humainement, à nous ouvrir à l'événement.

L'événement sera donc un éclat d'étant non-étant, un éclat ontologique pur à même l'onticité. L'événement fulgure entre les structures. Mais les structures sont tout ce que nous pouvons discerner de la légalité ontico-ontologique. Autant dire que l'événement est ce rien de l'être, au regard de la densité ontique, que l'on peut tout aussi bien nier qu'admettre.

Plus précisément, l'événement sera un multiple paradoxal. Il sera ce multiple qui présente à la fois les multiples de son site – imprésentés dans la situation – et *lui-même*. Peut-être faut-il dire que l'événement, c'est l'événement, en un sens tout à fait différent de la tautologie : il advient et n'existe que pour autant qu'il se trouve nommé, de telle sorte que le vide qu'il convoque perce la structure où il est situé ; et il sera en même temps, au regard de la situation, la surprenante remontée des éléments imprésentés du site.

L'événement est un multiple paradoxal parce qu'il est composé de lui-même. Sans quoi il serait une structure anodine, du moins identifiable dans le tissu de l'ontico-ontologie. Badiou pose que l'événement est transgression du principe de non auto-appartenance. Un multiple advient qui d'une part est certes lié à une situation – et c'est pourquoi l'événement présente l'imprésenté de son site, du multiple anormal appartenant au site – mais qui d'autre part ne peut être conçu que comme « *lui-même* », sans quoi il serait rabattu sur la situation, certes infiniment complexe mais parfaitement régulée. L'événement s'appartient lui-même parce que le reconnaître c'est le nommer comme exception, et parce que l'ontologie mathématicienne ne connaît que la régularité. L'événement advient. Qu'est-il ? Rien au regard de la situation. Mais il fait apparaître des éléments imprésentés de la situation

– le contenu de son site. Mais n'étant rien dans la situation, il ne peut être que lui-même.

Plus précisément encore : un événement s'interpose entre le vide qui hante la situation et « *lui-même* ». Il n'est pas à proprement parler le vide ontologique ; mais il n'est pas non plus quelque chose – une structure, un élément de la situation. Il est ce qui peut s'interposer entre le vide de l'être de l'étant – de la situation – et sa reconnaissance, cet étant = X qui serait son assimilation à la situation. Ni il n'est le vide pur, ni il n'est dans la situation : l'événement sera ce qui s'interpose entre le vide et sa propre consistance.

Nul doute que nous touchions là à une sévère pensée de l'illégalité. L'événement est certainement, pour cette raison, une évanescence ontico-ontologique qui ne peut avoir d'existence qu'à la condition d'être reconnue par un sujet. Refuser toute existence à l'événement est toujours possible : soit en le reconduisant au vide – il n'est que le vide de la situation – ; soit en l'assimilant à la situation – rien n'a eu lieu, sinon la légalité et la structure. Et c'est pourquoi il s'interposera entre le vide et lui-même, c'est-à-dire entre le vide et sa positivité – sa présence dans la légalité –, n'étant en soi ni l'un ni l'autre.

Evénement, intervention, fidélité

La précarité de l'événement est définitive. D'un point a-mathématique, la mathématique ne saurait reconnaître l'existence, sinon à la manière d'une pointe qui transgresse sa légalité. De fait, il est rigoureusement possible de nier que des événements existent. Voyez donc Spinoza – et tout discours totalisant l'ontologie structurelle. Mais qu'advienne un sujet qui intervient, le reconnaît et le nomme. Alors l'événement existera, en un sens distinct de la légalité multiple.

Dans l'immanence, pour autant qu'un sujet se fasse fidèle à l'événement, naîtra une procédure attachée à son existence illégale, qui aura ouvert l'homme à autre chose qu'à la monotonie des structures et au vide en bout de course de l'être. Celle-ci, néanmoins, s'inscrira dans la légalité de l'ontologie – dans l'immanence et la matérialité multiple – à la manière d'une exception dont on endure les conséquences.

L'événement n'est pas une transcendance qui jaillit hors du système légal de l'être ; mais une exception qui, une fois reconnue, désorganise et réorganise autrement, pour celui qui la reconnaît, les situations où son humanité est prise. Il est donc possible de lire dans l'ontologie la manière dont l'événement et sa reconnaissance par un sujet se font. Mais cette inscription ne peut être de l'ordre d'une structure, puisque l'événement est folie au regard de la légalité ; c'est donc en suivant des effets d'anti-structure, à même la structure, que nous pourrons apercevoir la manière dont l'événement et le sujet se font.

Mais revenons quelques instants à l'inscription paradoxale de l'événement. Celle-ci s'écrit, pour un événement de site X appartenant à une situation S :

$EX = \{x \in X, EX \}$

A lire l'événement de site X, dans S, est l'ensemble formé des éléments du site X et de lui-même.

Nous voyons immédiatement qu'un événement se présuppose toujours lui-même, dans la mesure où vous ne pouvez le définir qu'en affirmant qu'il appartient à lui-même. C'est pourquoi l'événement est ce qui s'interpose entre le vide du site et « lui-même ». Un tel effet présuppose que seule une nomination peut donner à l'événement le statut d'être quelque chose. Il faut que vous posiez préalablement que l'événement existe pour dire qu'il lui appartient d'être lui-même. Il faut qu'il ait été déjà nommé pour que l'on puisse dire qu'il est paradoxalement ce qu'il est. Le rôle du signifiant et du langage est ici fondamental. Seul du langage peut recueillir de l'événement par les effets qu'il propose.

Au colloque qui lui fut consacré le 16 mai 2003 au Collège international, organisé par Jean-Clet Martin, et en réponse à mon intervention, Badiou nous fit remarquer, entre autre, qu'il avait conscience que la théorie de l'événement qu'il avait jusqu'à maintenant développée devait encore trop au langage – et certainement à Lacan – et qu'il s'orientait désormais vers une conception qui n'assigne plus un tel rôle au langage.

Ce qu'il faut retenir, en tous cas, c'est que la nomination de l'intervention qui reconnaît l'événement s'arrimera sur les éléments imprésentés du site pour faire reconnaître l'existence de l'événement. Mais ce choix sera lui-même illégal puisque la présentation ne nous donne aucun des éléments du site X, bien que ce choix suffise, déjà, à donner une certaine consistance à l'événement au regard de la situation, qui du moins connaît le site. C'est donc l'accointance du vide et de l'événement qui se révèle ici.

Une fidélité peut alors naître, par laquelle le sujet traversera les multiples des situations en endurant l'existence qu'il a conférée à l'événement. La fidélité aura pour structure de connecter dans le temps des multiples à l'événement – de tels multiples auront affaire à l'événement – ; au contraire, elle pourra considérer que d'autres multiples ne concernent nullement l'événement. La fidélité milite au nom de l'événement, qui de ce fait suffit à transformer durablement la donne anonyme des multiples, puisque certains d'entre eux sont désormais liés à cet indécidable et paradoxal événement. Le sujet fidèle bouleverse les structures au nom de l'événement. Nous pouvons certes établir idéalement un mathème de la fidélité : tels multiples sont reconnus connexes à l'événement, tels autres ne les sont pas. Par exemple : a(+), b(+), c(-), d(+), e(-). Mais cette inscription ne doit pas dissimuler qu'il n'y a aucune loi de l'être – de la mathématique – permettant de légaliser la connexion à l'événement. C'est là l'œuvre du sujet, qui à la rigueur peut reconduire tous les multiples qui se présentent à lui à l'événement (délire d'immanence), ou au contraire n'en admettre aucun (délire de transcendance) : la situation est reconduite à autre chose qu'à sa mathématique. L'homme supplémente la loi et de ce supplément fait sens, bien que le sens en question ne soit rien d'autre que l'interruption de la légalité, venue du vide sous-jacent et retournant au vide – mais dont la trajectoire est vive.

Le générique et la vérité de l'événement

Qu'est-ce qu'être fidèle ? C'est certainement aller vers la vérité de cet événement en connectant des multiples à celui-ci. La vérité de l'événement serait que tels et tels multiples soient connexes à cet événement. Ceci et cela, x et y, dans l'être, sont de l'ordre de l'événement, et non pas seulement de cet être. Procédure épuisante où se fait le sujet. Procédure qui ne peut qu'aller à l'infini, et dont le sujet sera l'instance locale.

Il nous faut donc, maintenant, définir la vérité de l'événement. Pour cela, il sera absolument nécessaire de distinguer la véridicité de la vérité. Comment la vérité de l'événement pourrait-elle n'être qu'une collection de multiples appartenant légalement aux situations ? Car l'événement paradoxal ne peut aucunement avoir pour vérité ce que l'on sait légalement. Le savoir, même porté à l'absolu de manière imaginaire, n'est pas la vérité : toute vérité à son tour doit s'inscrire à l'envers, selon un vide. Le savoir est la véridicité. Il correspond naturellement aux ressources de discernement et de classement des multiples, et forme ainsi ce que Badiou nomme l'encyclopédie : tel multiple a telle propriété (discernement, appartenance à) ; tel et tel multiple ont une propriété commune (classement, inclusion). Ce sont là les deux ressources savantes de l'homme.

Construisons la vérité dite générique – ou indiscernable – de l'événement. Badiou exposera ici, dans le détail, les procédures mathématiques de Cohen, qui démontra en 1963 qu'il existe des ensembles génériques.

Démonstration qui, pour Badiou, expose la manière dont la théorie des ensembles doit admettre en son sein l'excription paradoxale de la possibilité du sujet : ce que l'ontologie – la mathématique – construit ainsi est la part en elle du sujet qu'elle reconnaît nécessairement à partir de sa légalité, en principe excluante. Le ruban de Möbius – ou la connexion à la fois impossible et nécessaire – entre ontologie et sujet, mathématique et événement, est la saveur propre à l'œuvre de Badiou.

Cohen démontre magistralement qu'il existe nécessairement des ensembles dont on peut démontrer l'existence mais qu'on ne peut absolument pas qualifier, dont on ne peut dire ce qu'ils sont : trou, donc, de la vérité dans le savoir, occurrence, cette fois-ci en vérité, du vide.

Contentons-nous du schème le plus élémentaire. Une fidélité est infinie en sa trajectoire, mais constituée d'enquêtes finies. Le savoir peut toujours déterminer pour un multiple un déterminant sous lequel il tombe ou non. C'est du reste ce qui donne au langage sa capacité, de l'exact au flou, de remplir le monde, et de nous fournir l'impression que tout y est plein, bien que le vide de l'être soit le dernier mot de l'étant. Supposons maintenant une séquence (x,y) pour laquelle x correspond au déterminant D, tandis que y est contradictoire à ce déterminant. Il s'en suit que la séquence (x,y), en elle-même, évite ce déterminant, puisqu'on ne peut rien savoir d'elle à partir du déterminant D. Sans doute peut-elle tomber sous un autre déterminant mais elle est indifférente à ce premier : on ne peut rien en dire. Si maintenant on envisage une fidélité contenant entre autre cette enquête (x,y), on saura que le total infini évite le déterminant puisque sa séquence (x,y) l'évite.

D'où la définition de la vérité : total infini des connexions à l'événement reconnues par une fidélité, tel que pour tout déterminant une enquête de ce total, au moins, évite ce déterminant. Par quoi l'on doit voir qu'une vérité est aussi bien une inclusion indiscernable d'une situation. Sans doute la vérité n'est-elle nulle part ailleurs qu'ici – immanence – ; mais sur un mode qui échappe à tous les déterminants du savoir en vertu du fait que les enquêtes de la fidélité admettent des séries de multiples contradictoires au regard du savoir. La vérité d'un événement est faite de toutes sortes de multiples que le savoir ne peut connaître compte tenu, tout aussi bien, de leurs diversités. On ne saisit jamais l'ensemble infini d'une vérité, bien que l'on soit assuré, matérialisme oblige, que la vérité ne peut être qu'une partie de la situation, et non pas ailleurs. Anti-essence au centre même d'une Essence, dirait le classique – mais plutôt multiple infini indiscernable dans la multiplicité (de choses et de mots) des situations avérées. La vérité est là ; mais nul ne saurait aller jusqu'au vide savant de ce là – et c'est pourquoi nous poursuivons avec confiance la vérité de l'événement : de ne point pouvoir la trouver nous formons le devoir indéfini de poursuivre : le sens.

Forçage et Sujet

Un sujet n'est nullement le contemplateur des vérités. Il est réellement un moment fini, local, évanouissant et indiscernable de la procédure infinie de vérité.

Du point de vue des structures, et de tout ce que nous pouvons, par paresse ou par opinion, y rapporter, l'homme est certainement un animal mortel – l'animal humain, précisément, comme le désigne Badiou – et celui-ci est multiples pris dans les multiples. Mais en tant que, dans l'animal, cependant inflexiblement lié à la légalité, advient la trajectoire d'une vérité post-événementielle, l'homme est sujet. Le sujet n'est pas une substance – un multiple compté pour un –, ni le point vide de l'être, ni l'organisation transcendantale de la signification – puisque la vérité ne délivre au bout du compte aucun sens. Il doit être dit rare et singulier puisqu'il ne se conçoit qu'à la manière d'une diagonale illégale dans les situations. Il ne sera ni un résultat ni une origine, mais l'effectuation de la procédure de vérité, dans la situation qu'il excède en un sens mais où il trouve la matière hasardeuse de sa fidélité. C'est donc un compte spécial, configuration de l'intervention et de la fidélité, qui ne saurait être semblable à la loi du compte.

Un savoir peut toujours essayer de déterminer quels termes sont connectés ou non à l'événement par le sujet mais rien ne saurait rendre compte du hasard de la trajectoire : pourquoi tel terme est connecté, et pourquoi un tel ici, un tel avant, un tel après, *etc.* ? La matière du sujet (non de l'animal humain, pour sa part réductible à la loi multiple) est l'ensemble des termes soumis à une enquête par le hasard de la trajectoire. Enumérer les composantes de l'enquête ne suffit nullement à déterminer le sujet, qui est bien plutôt, à la faveur d'un hasard et d'une militance, littéralement *entre* les termes.

En dernier lieu, événements et sujet sont inséparables, et il ne faut ni se représenter le sujet comme la capacité déjà là de recevoir l'événement, comme une vertu préalable, ni croire l'événement indépendant de l'engagement subjectif qui, le reconnaissant, tisse sa propre étoffe finie dans l'infini de sa vérité.

Badiou peut dès lors rendre compte du régime de la signifiance humaine, et de la constante existence de la véridicité, du savoir. D'où nous vient le savoir si la vérité est générique ? Comment le vide d'une vérité pourrait-il suffire à déployer le langage, et la capacité de ce dernier à remplir le monde de significations – si bien que c'est le vide immobile de l'être, d'une part, et celui, opératoire, de la vérité, d'autre part, qui sont les plus difficiles à concevoir, et que la plupart du temps les hommes occultent, réduisant ainsi le pouvoir d'être sujet à la perpétuation de l'opinion en eux ?

Le sujet est celui qui, fidèle à l'événement, produit une langue-sujet pour endurer la vérité, et donc des énoncés qui, nécessairement, ne s'en tiennent pas à la structure préalable puisque celle-ci ne saurait admettre l'événement.

La nomination est l'acte par lequel le sujet donne existence à l'événement paradoxal, et peut poursuivre son travail de transformation du donné au nom de l'événement et de ses dicibles qui décomposent et recomposent ce donné. Le sujet est celui qui est capable, au nom même d'un rien de signifiant – la vérité – de bouleverser l'être établi des choses. Il n'y a de sujet qu'en révolution, alors que l'animal humain s'accommode de la disposition des choses ou en tire profit. L'animal est d'intérêt, et de dénégation du vide ; le sujet est de rupture et de courage, endurant que ce vide suffit à créer... Et il suffit toujours, étant le vide d'une vérité.

Mais de cette nomination le sujet tire d'abord une confiance, celle qui fait qu'il produit de la signification au nom de l'événement. Cette confiance savante réside en ceci que le sujet peut toujours forcer la vérité.

Le forçage est cette opération subjective par laquelle le sujet peut lier le dicible à l'indicible, la véridicité du savoir au trou de la vérité.

Ici encore, Badiou prendra appui sur les travaux de Cohen, qui en a théorisé parfaitement, en mathématicien, la possibilité à partir d'un ensemble générique.

Nous nous nous contenterons là encore du schéma le plus aisé. Badiou dira que le forçage consiste à anticiper du savoir à partir de l'idée d'un achèvement – en fait impossible – d'une vérité générique. Le forçage dit ce qui aura été si une vérité s'achève. Il n'est pas possible de nommer avec certitude les éléments d'un générique ; mais il est possible de soutenir que si tel élément appartient au générique, alors tel énoncé (tel savoir) qui se rapporte à cet élément désormais conçu dans son appartenance à la vérité, aura telle ou telle signification, sera véridique ou erroné. Cette hypothèse est proprement la marque signifiante du sujet. Badiou dit volontiers qu'elle se décline au futur antérieur, temporalité primordiale de la signification : si ceci est dans la vérité du générique, alors il aura été vrai que cela veut dire x, ou y, que cela est véridique ou erroné.

Bref, la vérité générique a pour puissance de permettre au sujet l'hypothétique d'un savoir sur elle. Le sujet est ce qui force l'indiscernable d'une vérité à faire effets de sens sous la condition qu'elle aura été ceci. Et qui, mieux que l'indiscernable, pourrait soutenir des hypothèses ? La plénitude apparente du savoir humain ne peut évidemment s'initier que d'un vide sous-jacent.

Il faudra cependant admettre qu'il existe toujours un point innommable pour une vérité générique, un point que l'on ne saurait forcer. Cet innommable, seul, assure que le sujet déploie au-delà même de ce qu'il peut une vérité authentique. Ce qui se joue dans la reconnaissance de l'innommable est tout aussi bien la position éthique d'un sujet. Car vouloir forcer l'innommable, c'est ne rien vouloir comprendre au réel.

L'éthique des vérités

L'éthique n'est pas quelque prescription universelle, un tu dois à tous destiné ; pas plus ne peut-on la réduire à quelques principes – les droits de l'homme – sans perdre ce qu'elle est : devenir sujet événementiel, être fidèle, transformer le monde au nom de l'événement, et endurer cependant que le vide est en bout de course la vérité de l'événement. L'éthique est inséparablement singulière et universelle. Car tout événement advient à ce sujet – et sa procédure de vérité est sienne. Mais parce que celle-ci doit endurer le vide, toute vérité singulière est en même temps à tous et pour tous : l'universel n'est rien d'autre, pour Badiou, que la reconnaissance de l'indiscernable de la vérité.

La loi de l'opinion et de l'animal humain est de nier l'événement. Poursuite de l'intérêt, du savoir établi, et de la conservation de soi. Le sujet est éthique, au contraire, pour autant qu'il saisisse dans son être ce qui rompt, fulgure, et défait – l'événement. Pour autant, ensuite, qu'il persévère – la fidélité – dans la vérité de l'événement. Certainement, donc, l'éthique suppose que le sujet existe à l'insu de l'animal humain, ébloui de n'être lui-même qu'à la condition de se dessaisir de ce qu'il peut pourtant toujours identifier le plus sûrement à lui-même, l'animal mortel, assuré, et d'opinion. L'éthique est le sujet dans l'animal.

C'est là une épreuve. Mais on ne saurait dire qu'elle suppose nécessairement un ascétisme ou une souffrance. Bien loin de cela, il y aura l'éclat de l'événement. Mais la dialectique du sujet et de l'animal est indépassable. Et il se peut qu'être fidèle à l'événement soit contrarier l'animal en soi. L'animal est facile, et constant ; le sujet est rare, et son exception doit toujours être soutenue. En tous cas, de nombreuses figures peuvent soutenir une telle exception, et l'éthique ne peut rien prescrire, dans l'ordre des passions, quant à ce que signifie être fidèle : angoisse ou joie, humilité ou orgueil sont également possibles. En revanche, l'éthique se reconnaît à la persévérance avec laquelle un homme noue l'in-su de l'événement au su, le vide à la structure, et à la force qu'il en tire pour transformer le monde. L'ascétisme à l'égard de l'animal humain, qui est naturellement disposé à nier l'événementiel, est en réalité identique au désir d'être soi, comme sujet. Je puis donc tout aussi bien ne ressentir ici aucune perte, transi par l'éclat. Mais la scission peut toujours se produire, réapparaître.

Briser un amour pour un désir seulement animal ? Trahir une politique par intérêt ? Préférer au savoir les honneurs de l'académie ? Ou régresser de l'inventivité artistique au confort de la vente ?

Le mal peut finalement se dire avec trois noms :

Le mal peut, tout d'abord, être terreur et simulacre. L'événement est convoqué mais faussement, à la manière d'une plénitude de la situation, et non comme cet éclat vide qu'il est. C'est là le principe de tout pouvoir tyrannique, individuel ou collectif : croire en l'essence suprême par ses soins découverte, croire vulgairement en la vérité : c'est Ceci ou Cela. Le Tout de la situation est alors substantialisé au nom de ce savoir en Vérité, et on sait que cela revient à nier ce qui n'en serait pas : juifs pour les nazis, musulmans pour les racistes, sans papiers pour la politique française ordinaire. Car celui qui croit être le Tout niera à l'infini l'infini même.

Le mal peut ensuite être trahison de soi-même, du sujet, au nom de l'animal humain. Je ne sens plus le processus me traverser. Je nie l'événement : rien ne sera plus aisé puisqu'il n'est pas structurellement inscrit dans le monde. Je deviens ennemi de cette vérité qui me fit. Je destitue la rupture dans l'être dont je viens. Je retourne aux opinions, aux structures, au monde comme il est.

Le mal peut enfin être désastre. Une vérité modifie les savoirs par l'in-su du générique qu'elle construit. Mais cette puissance n'est pas totale. L'immanence suppose que le sujet est dans l'animal humain, l'événement dans la structure, et la puissance du générique capable de nouveaux énoncés dans les nominations pré-existantes. On ne peut nier intégralement l'animal humain ; il n'est pas de pur sujet. Et, de même, on ne saurait absolutiser la puissance qui est libérée par une vérité, c'est-à-dire croire qu'elle peut tout changer, qu'une vérité n'est pas prise dans une situation.

En vérité, nous ne pouvons jamais nommer toute la situation du point de vue de la vérité : nous retrouvons aussi bien la part qu'il faut faire dans le forçage à l'innommable.

Finalement, le mal est l'incapacité à endurer le vide, soit en y substituant la plénitude, soit en y renonçant, soit en croyant trouver en lui la possibilité d'une métamorphose absolue du réel. L'éthique est discernement, courage, et réserve. Mais l'éthique est engagement. Soutiens le vide et tu changeras quelque chose du monde en ton nom et au nom de tous.

Des quatre conditions

Pouvons-nous en revenir aux quatre conditions, les faiseuses de vérité ? Il est d'abord à remarquer que la pensée et la vie de Badiou se caractérisent en conséquence par une pratique généreuse des conditions. Le philosophe Badiou sera par ailleurs romancier et dramaturge ; de même qu'il étudiera en profondeur les mathématiques contemporaines, et qu'il s'engagera constamment dans l'action politique – par exemple auprès des sans papiers. Dès ses débuts d'écrivain, Badiou manifeste une remarquable aptitude à faire œuvre de science et de littérature, et à ne jamais tenir la pensée pour politiquement quitte.

La pratique des conditions introduit une autre démarche que les tentatives, ici ou là, visant par exemple à esthétiser la philosophie, ou à l'identifier à un combat politique La philosophie a son domaine, qui est de saisir la compossibilité des conditions, dans leur contemporaénité, et d'exposer celles-ci, à partir de la reconnaissance de leurs événements actuels, au vide éternel de la vérité. Ce qu'une condition fait, nulle autre ne saurait le faire semblablement, car chaque condition est spécifique. La compossibilité n'est pas du tout l'équivalence. Si le sujet est finalement cette compossibilité, le sujet avère sa puissance dans la mesure où il se montre capable de conditions et ce qu'est, au bout du compte, un sujet ne trouve sa réponse la plus juste que dans l'exposition simultanée des différentes procédures dont il est à même. Ainsi peut-on dire que c'est l'ensemble de l'œuvre de Badiou qui expose la puissance du sujet. Et qu'il lui fallait pour ce faire non pas seulement tenir un discours philosophique sur l'amour, la politique, l'art, et la science mais laisser chacune des procédures déployer les vérités dont celles-ci auront été capables. L'unité de l'œuvre est en ce sens évidente mais elle est l'exploration de chaque condition, et non pas seulement un système philosophique.

Rien n'est ainsi plus étranger à Badiou que l'idée selon laquelle la philosophie connaîtrait la vérité sur la politique, l'amour, l'art et la science. Chaque procédure produit ses vérités ; et c'est pourquoi vous ne saurez ce que sont l'art, la science, l'amour et la politique qu'en devenant sujet des conditions. Ce que peut faire par ailleurs la philosophie, c'est, comme nous l'avons dit, saisir la spécificité éternelle de chacune des conditions, et exposer chaque condition aux questions de son temps.

C'est pourquoi Badiou dira qu'il écrit une inesthétique plutôt qu'une esthétique, une métapolitique plutôt qu'une philosophie politique : parce que ses écrits sur l'art ne prétendent pas mieux dire ce qu'aurait voulu dire – en fait, philosophiquement, réellement – le poète (ou le peintre), et que sa pensée politique ne dit pas ce que devrait être la politique : la philosophie ne se substitue pas aux conditions, comme si elle savait, elle, de quoi il en retourne en réalité. Comment cela serait-il possible puisque chaque condition produit de manière tout à fait immanente ses procédures et ses vérités ? Ce que la philosophie peut recueillir de l'art, de la politique, de la science ou de l'amour, ce sont uniquement des effets intra-philosophiques. Les conditions ne sont donc pas des philosophies inférieures. Au contraire, la philosophie n'existe que s'il y a, au préalable, les conditions.

La condition scientifique

La science, le mathème en particulier, est cette procédure par laquelle le dicible de l'être est donné au sujet et va jusqu'à la réalité du vide de l'être. C'est pourquoi les mathématiques peuvent être ontologie effective. Cette condition s'instruit de la puissance du signifiant, de la lettre pure, qui est proprement ce par quoi le sensible est reconduit à l'intelligible, c'est-à-dire, selon les différentes étapes de la formalisation, ce par quoi le vide de l'être est mis à jour dans l'étant apparemment opulent.

Nous connaissons d'autant mieux que nous dévidons le sensible, et c'est là la force de la forme. Evidemment, cet acheminement vers le vide ne s'accomplit pas d'un seul tenant, et c'est pourquoi il y a une richesse incomparable dans l'articulation de la lettre pure. Les mathématiques, en particulier, montrent historiquement que les cas dits concrets ne sont que des variétés particulières d'un déploiement rigoureux, et beaucoup plus vaste, de la juridiction de l'être : le vide, disséminé, signifie en effet que toute unité et tout point d'arrêt apparent pour la pensée peuvent encore être compris selon une multiplicité : l'unité est multiples de multiples jusqu'au vide.

La science est donc capture de l'infini. Elle produit du savoir, à l'infini, par les forçages qu'elle opère sur une vérité qui ne serait pas seulement localement générique mais aussi globalement : puisqu'elle tend vers le vide de l'être en tant que tel. Ces savoirs sont bien sûr, dans le détail, extrêmement variés, car les dispositifs situationnels sont inépuisables, selon les manières dont on entend dévider le sensible. Le savoir n'en aura pas moins son point d'innommable qui sera la consistance de son propre discours, sa non-contradiction absolue, la valeur ultime et globale, anhypothétique, anté-axiomatique, de ses procédures ; puisque la science procède et qu'elle produit toutes ses vérités dans l'immanence de ses procédures, elle ne saurait exposer la valeur absolue de cette procédure – mais seulement s'en remettre à des axiomes, ou procéder encore. Elle force des vérités ; mais elle ne saurait dire qu'elle est la vérité. Elle destine, malgré tout, ses vérités à l'universalité. Chacun peut également s'engager dans une fidélité scientifique, pour autant qu'il pratique l'ascèse déliant l'étant, en tant que tel, de sa subjectivité commune.

L'événement qui déploie, aujourd'hui, la pensée de la condition scientifique est évidemment la naissance de la théorie des ensembles, et en particulier le caractère générique de toute vérité.

La condition artistique

L'art, au contraire, présente le sensible dans l'Idée finie d'une œuvre, en destinant cette finitude à l'exposition de l'infini subjectif. De ce point de vue, l'art ne doit nullement être vu comme une expression narcissique, ethnique ou moïque. Il est production d'une vérité qui s'adresse à tous, et qui peut au contraire être dite impersonnelle parce que cette production est l'effectivité de l'œuvre. L'individu-artiste est à l'œuvre ce que l'animal humain est au sujet ; il est matière vivante prêtée à un sujet, et n'est sujet que par l'œuvre.

Idée sensible, l'art transforme ce sensible en un événement de l'Idée, donnant à voir, à entendre, *etc.,* selon le comble, à la limite de l'impossible, et néanmoins dans la configuration finie et distincte d'une composition. L'art donne l'informe dans la forme, le vide dans la densité sensible. Il sera nécessairement dans la pluralité parce que loin de redonner le schème biologique de l'animal organique, adapté à la simultanéité habituellement pauvre d'un voir et d'un entendre, il produit un sujet autre – traitant l'universel d'une ou de plusieurs sources sensibles. Il en résulte, par exemple, que l'Idée-théâtre est distincte de l'Idée-Cinéma, de l'Idée-peinture, et que chaque art peut faire l'objet d'une compréhension des idées ainsi produites.

L'art a pour histoire des configurations, nées d'événements, et qui donnent à voir ou à entendre ce qui n'était pas prévisible jusqu'alors dans la situation historique. Son universel se soustrait ainsi à toute classification pré-établie, et progresse de configurations en configurations, en se détachant de l'une, épuisée, lorsqu'il a mené celle-ci au point où l'informe – ou le vide – est devenu la seule forme, pour cette configuration, capable de s'égaler à l'infini sensible.

L'événement dont l'art d'aujourd'hui peut venir doit d'abord être saisi à partir de la nécessité de délier philosophie et art ; ni l'art n'est l'idiot, ou le vaporeux, de la philosophie ; ni la philosophie ne doit se vouloir poème. Badiou lit cet événement, par exemple, dans Celan, au regard de Heidegger et de la mystique poétique à laquelle ce dernier cède. Plus encore, l'art doit (re)devenir affirmation de soi. Il n'est pas didactique, classique, ou romantique : il n'est pas l'ancillaire de la pensée pure (Platon mais aussi bien Lénine) ; il n'est pas la forme plaisante dont les vertus sont pratiques (Aristote, Louis XIV) ; il n'est pas non plus la voie, au-delà de la philosophie, de la révélation supérieure (Heidegger). Car la poésie admet à son tour un point d'innommable, qui est le langage qu'elle travaille.

Il sera, aujourd'hui, affirmation intégrale de l'universel dont il est capable, destinant à tous le réel rencontré. Impersonnel, ambitieux, nu : faisant événement d'un réel jusqu'alors ignoré, c'est-à-dire contestant absolument le sublime grotesque de l'art marchand, l'art pompier du capitalisme, et les gesticulations du petit moi exprimé. En quoi il sera opposition tenace au monde impérial de la marchandise : autre chose est possible, dans l'infini effectif où l'homme se trouve.

La condition politique

Qu'est-ce qu'un événement politique ? Un événement est politique quand ce qu'il engage relève d'une vérité collective. Il requiert en lui-même l'universel, le tous sans restriction. La politique est intrinsèquement universelle, tandis que l'art ou la science ne le sont que par destination. La matière de la politique est en effet l'universel. Sont militants, ceux qui se font sujets d'une procédure politiquement événementielle ; mais c'est dire que tous peuvent être militants : la procédure de vérité politique est générique dans sa situation même, et non pas seulement dans son résultat. La politique exhibe donc l'infinité subjective de toute situation et en réclame l'égalité.

Il y aurait courte pensée à sanctifier la démocratie occidentale. Celle-ci ne relève, aux yeux de Badiou, que d'un capitalo-parlementarisme dont le principe est double : d'une part, rendre impossible la contestation du Capital, en affirmant qu'il est la Valeur qui va de soi, la valeur bienheureuse de l'Occident, la valeur de toutes les valeurs – celle qu'il faudrait exporter, parfois à coups de canons, au nom des droits de l'homme ; d'autre part, faire fiction, sous le nom de démocratie, d'un lien réel et tangible entre représentants et représentés. C'est pourquoi la politique ordinaire (élections, déclarations) est sans nul événement ; il y a des faits, et des comptes – majorités – ; mais ces faits sont la négation de ce que nous avons à penser politiquement. On le voit dès lors que c'est en toute bonne conscience que l'on part à la chasse aux sans papiers sous le prétexte d'une communauté, la nôtre, à sauvegarder pieusement : l'universel du politique est ici nié. Une politique générique, au contraire, partant des événements, suppose que chacun est directement le militant du tous. Elle se fait pour tous ; une nation doit s'apparenter à un événement, bien plus qu'à une limite légitime.

L'Etat a aujourd'hui pour norme l'économie et la maintenance du capitalo-parlementarisme. Il est la puissance infinie qui inspecte la situation. Mais cette inspection n'est jamais celles des singularités. L'Etat est – littéralement – état de la situation, représentation de la présentation, au sens mathématique que nous avons décrit. C'est dire qu'il lit la situation à partir des sous-ensembles de celle-ci (par exemple les ouvriers, les délinquants, les artistes, les assurés sociaux).

Une théorie des infinis doit nous venir en aide, ici, tant il est vrai que la distinction entre infinis de différentes puissances est l'un des aspects de la théorie des ensembles qui rend ainsi possible de distinguer l'infini de la situation subjective, d'une part, et l'infini supérieur de l'Etat qui se re-présente cette situation. Exactement la différence entre un ensemble, et les parties de cet ensemble. Seulement l'infini supérieur de l'état est abstrait, car l'ensemble politique est subjectif, et le compte des parties est une classification opératoire qui ne saurait éprouver cette subjectivité ; bien plutôt, le compte la réprime au profit du manipulable, du contrôlable, du configurable. Quelle est la puissance de cet infini étatique ? Elle est indéterminable. Du moins l'est-elle tant qu'on ne la force pas à montrer ce qu'elle peut et ce qu'elle ne peut peut-être pas. Là est le sens de l'événement et de la militance : interrompre cette indétermination de la puissance étatique au nom de l'infinité éthique de la subjectivité. A partir des points locaux qui forment des événements, et des procédures, un écart est alors ouvert entre la politique et l'Etat, et qui travaille à produire de l'égalité. L'Etat est mesuré ; il lui est dit que sa puissance est ceci au regard de la puissance universelle subjective. Il lui est dit qu'il n'est pas (encore) égalitaire, qu'il ne reconnaît pas encore, universellement, l'égalité des subjectivités. Qu'il est à distance de ce qu'il y a à penser et à faire. Que sa puissance effectivement supérieure est légitimement inférieure à la maxime de l'égalité.

Evidemment, la politique est générique. L'égalité est impossible ; et c'est bien pourquoi elle doit être un axiome, si vous voulez qu'elle soit quelque chose, et qu'il y ait au moins la procédure d'ajustement, qu'il faudra toujours reprendre à partir d'autres événements. Finalement, la politique a un point d'innommable, habituellement confondu avec son fondement – le peuple, nous les français –, et c'est justement la communauté, puisque celle-ci serait la totalité en subjectivité. La communauté n'est pas pensable, et c'est justement ce que toute politique doit s'efforcer de sauver, la vraie maxime de l'égalité. C'est pourquoi l'événement politique, bien plus qu'il n'entonne le chant un peu niais de la fraternité, ou du sentiment d'être français, expose des ruptures dans l'ordre étatique, dont naîtra l'exigence d'une redisposition des structures, cela avec courage mais évidemment sans fin assignable.

L'événement dont s'enquiert, en général, la politique, aujourd'hui, est la fin historique du communisme, de la croyance en l'Etat – et son revers indissociable : qu'il n'est pas juste de soutenir pour autant le capitalisme.

La condition amoureuse

Des quatre conditions, l'amour est la seule qui soit affaire privée. Il ne concerne que le deux des aimants. Il n'est pas universalisable à la manière de l'art, de la science, et de la politique. Néanmoins, il s'y joue pour chacun et chacune une certaine expérience du vide. Son événement est évidemment la rencontre, et sa fidélité ce que l'on nomme l'histoire, l'histoire d'amour. L'amour n'est pas la fusion, l'unité fantasmatique du Deux – ce Deux qui est la forme du multiple qui s'y trouve présentée. Pas plus n'est-il l'expérience de l'Autre. Car il est expérience de la situation à partir du Deux, ce qui est différent. L'amour n'est pas plus réductible au sexuel. Il faut dire au contraire que le sexuel, la disjonction des sexes, forme la structure situationnelle que l'événement et la fidélité amoureuses supplémentent dans la production d'une vérité. Le sexuel signifie qu'il y a deux positions de l'existence, et qu'il y a une disjonction totale entre ces deux positions.

On connaît la formule de Lacan : « Il n'y a pas de rapport sexuel. » Pour notre temps, la psychanalyse de Lacan aura été l'événement à partir duquel penser l'amour. Lacan pointait ici le fait que, s'il y a évidemment acte sexuel, cet acte est en réalité possibilisé par cette disjonction. Et que l'amour, dès lors, venait suppléer ce non-rapport (cette disjonction) par l'imaginaire. Mais l'amour ne sera pas pour Badiou simple fonction de suppléance. Il procédera, il sera labeur, et produira ses vérités.

Vérité de quoi ? Vérité de la disjonction, irrécusable, qui s'inscrit cependant dans une seule humanité et qui traverse une situation commune. Vérité du vide, mais qui suffira cependant à aimer.

Le sexuel veut dire qu'il y a un objet commun du désir, bien qu'il y ait deux positions disjointes. L'homme et la femme ne peuvent rien savoir de l'autre, ni de l'objet commun. Point d'innommable. Mais l'homme et la femme pourront sans cesse aller du Deux à l'atome commun, ou de l'atome au Deux. L'atome intersecte les deux positions, mais aucune ne peut savoir ce qu'il est, puisqu'il lui faudrait pour cela savoir ce qu'est l'autre position. De là que l'oscillation aille aussi bien de la différence avérée à l'unité crue que de l'atome au Deux – et du Deux à l'atome. Où va le processus ? Nulle part, bien qu'on y aille, étant le vide en vérité de nos histoires. Mais il aura suffi, ce faisant, pour chacun des deux, à créer.

IV

Grâces et Platitudes

D'Epicure à Badiou

Pourquoi faut-il que la pensée s'en remette toujours à quelque grâce ? Il se pourrait que le plus difficile, dans l'exercice pensant, ne soit pas de se confronter à l'énigme mais d'épouser les platitudes du réel sans désirer en elles une profondeur dissimulée, une exception, un diamant d'indicible.

Un principe de platitude, tel est le départ du matérialisme. Mais il n'est pas certain que cette sensibilité, cette ambition, et cet aspect de la sagesse puissent soutenir jusqu'au bout le principe. Tout irait bien s'il n'y avait du sujet. Mais qu'il y ait du sujet, voilà évidemment ce que le matérialisme peine le plus à pénétrer de ses lumières machinales, tandis que de l'autre côté, versants idéalistes, on reste avec l'immanence immense et cosmique, où l'humain ne fait qu'atomes, sur les bras.

Cela pourrait commencer par un exercice de méditation à tous recommandé : dévisagez à l'occasion quelque vache, quelque petit chat, ou quelque affreux roquet. La question est de savoir ce qui se passe dans une tête très humaine eu égard à l'animal. On croisera aisément ainsi la veine des matérialismes physico-biologiques, le béhaviorisme, les neuro-sciences et Changeux. De manière générale, on nommera matérialisme structurel toute théorisation du monde et du sujet qui prétendra réduire ce monde et ce sujet à un ensemble complexe mais dicible de phénomènes objectifs, physiques et biologiques. Ces thèmes sont bien connus : la pensée est épiphénomène de l'activité cérébrale. Sans doute le matérialisme structurel est-il la tentative la plus radicale de s'en tenir à la platitude du réel. Celui-ci trouve dans le développement contemporain de la biologie, des sciences en général, les conditions excellentes de son épanouissement. Aussi bien, La Mettrie l'instituait déjà avec génie – après que Descartes eut voulu clarifier le monde substantiel – montrant que la substance pensante était réductible, de fait, à la substance étendue cartésienne, et l'homme, dès lors, à la machinerie que Descartes réservait pieusement aux animaux. Le matérialisme structurel est certainement embarrassant – un instant – pour la philosophie, constituant une de ses limites : car si tout peut être objectivement déterminé, en particulier l'homme comme multiplicités physico-biologiques, alors la philosophie semble se dissoudre dans la science.

L'origine de la tradition est cependant fondamentale : Epicure – pour s'en tenir à lui – est certainement un physicien. L'épicurisme fait immédiatement l'économie des tribulations idéelles de Platon et même d'Aristote ; et l'on voit dès la naissance que le matérialisme est une ontologie plate.

Les mondes atomiques ne sont pas des explications, mais l'avoir-lieu du cosmos, son effectivité, et la possibilité même de la pensée doit être comprise à partir de cette effectivité, non cette dernière à partir des pensées. Toutefois – et c'est là le point essentiel – l'épicurisme ne se cantonne pas à cette structure, et ne le peut : il y a, cruciaux, le Vide, et, avec Lucrèce, la déviation, le *clinamen*. Car du vide, seul, l'on pourra attendre qu'il nous enseigne la nature suprême du cosmos : flux d'atomes sur fond de vide, anti-substance suffisant à porter les mondes, et à expliquer le mouvement des atomes sur son fond, dans son espace.

Le *clinamen* – un prodigieux concept anti-finaliste – explique par le moindre écart d'un atome rompant le parallélisme originaire et venant dès lors dérégler toutes les parallèles, les faire s'entrechoquer, comment les atomes firent des choses et des mondes. Composition accidentelle, moindre causalité originaire, mais dont l'impact, les répercussions, les possibles sont infinis. Sa fonction est en même temps, certainement, d'expliquer comment il est recevable que l'être humain se perçoive à la manière d'un sujet libre et agissant : notre composition atomique est une mécanique des flux atomiques originairement hasardeuse, ou déréglée. Et, sans doute, rien ne donne autant le sens de la liberté et de soi que ce dérèglement léger mais persistant qui ne nous identifie pas à la pure détermination. Tout est déterminé par les atomes, mais la clef de cette détermination réglée – le *clinamen* – est impensable et n'est pas elle-même une détermination.

Cette interprétation à grands traits extériorise l'épicurisme de son contexte problématique et raffiné [1]. Mais l'essentiel est ici de remarquer que le matérialisme antique est marqué par quatre exigences qui restent des passages obligés pour toute pensée contemporaine de cette obédience.

Ce sont : (1) Le matérialisme structurel des atomes – l'ontologie plate – qui doit se substituer à la rêverie idéale sur l'indicible, ou quelque transcendance, et ainsi suffire à rendre compte du réel.

Mais (2) : le Vide, principe ontologique qui doit à la fois être tenu pour le nom dernier de l'Être en tant qu'Être, et, corrélé aux flux atomiques, expliquer la circulation des atomes, supportant donc le structurel sans jamais recourir aux transcendances.

(3) L'accidentel du *clinamen* qui rend raison de ce qu'un monde eut, a et aura lieu, et non la simple coexistence du vide et des atomes. Principe d'un dynamisme qui n'est nullement une force agissante, immatérielle, mais ce moindre hasard présidant à toute nécessité, ou l'a-signifiance réglant toute signifiance, ou l'axiome impensable de toute pensée, l'indétermination de toute détermination. Le *clinamen* agit puisqu'il est la clef de toute formation, qui subit, de fil en aiguille, son effet, mais l'inspection des compositions ne vous le donnera jamais comme tel. Il est à la fois le fondement de toute présence, et l'introuvable en toute présence.

(4) Enfin, le *clinamen* doit suffire à saisir le sujet et ce que l'on pense de sa nature sous le terme de liberté. Le sujet, en effet, dévie. Il est cette composition, dans la nature, dont l'accointance avec le *clinamen* suffit à produire des effets de subjectivation et de liberté.

---

[1] Dans la suite du texte, nous attribuerons en nom propre à Epicure le *clinamen* de Lucrèce, sans ignorer, bien sûr, les complexités : la déviation existe-t-elle déjà dans la doctrine d'Epicure, ainsi que Cicéron le veut ? Faut-il supposer une lacune dans la *Lettre à Hérodote* ? Ou bien revient-elle au seul Lucrèce ?

Par où l'on doit voir que la force étonnante de la doctrine d'Epicure réside dans l'élimination de toute grâce ontologique : ni le vide ni le *clinamen* ne doivent réintroduire dans le dispositif de pensée une quelconque transcendance. Mais l'on voit également que le matérialisme structurel, ainsi que nous l'avons nommé, doit se projeter vers l'indéterminé, ici le vide et le *clinamen*, pour parachever son procès d'immanence atomique. La structure et la détermination matérielles ne suffisent point. La platitude doit être relevée – mais comment et pourquoi ? Puis, comment éviter dans cette opération de pensée que ne renaissent les illusions banies ?

Si la pensée d'Epicure nous met d'emblée face à cette question, Deleuze et Badiou peuvent être lus à partir d'une telle question, et de la manière dont ils tentent de la résoudre.

Tout matérialisme qui ne s'en tient pas à la scientificité auto-constituée en principe de suffisance (le matérialisme vulgaire, dont la platitude est certaine mais repose en dernier lieu sur l'incapacité à penser ontologiquement) est donc traversé par une difficile fonction d'ajustement entre un matérialisme des déterminations et un matérialisme de l'indétermination.

Nous proposons d'appeler respectivement matérialisme ontique et matérialisme ontologique ces deux aspects d'une même pensée.

Matérialisme ontique, matérialisme ontologique

La question la plus générale qui se pose alors à nous est la suivante : qu'en est-il de cette croisée des chemins, de cette zone problématique dans les philosophies d'Alain Badiou et de Gilles Deleuze ?

Mais commençons par quelques remarques qui visent à expliciter les termes (ontique, ontologique) et à problématiser ce à quoi il s'agit d'échapper, c'est-à-dire à l'idéalisme ontico-ontologique. La splendeur de la pensée de Heidegger, c'est d'avoir renoué avec la question de l'être en tant qu'être ; sa limite est de n'être, malgré tout, à bien y réfléchir, qu'une ontologie possible parmi d'autres, si bien que la novation heideggérienne – c'est cette fois-ci son ambiguïté – est de renouveler de fond en comble l'idéalisme en lui donnant des formes inouïes, qui renonçaient pour l'essentiel aux schèmes traditionnels de l'idéalisme (le sujet encore husserlien) mais cela afin de mieux promouvoir le romantisme de l'Être en tant qu'Être.

De manière générale, l'idéalisme s'empare de la question ontico-ontologique dès lors qu'il déploie cette question sous la forme générale de l'Être – en personne – et qu'il ne traite pas celle-ci, strictement, comme une suture et une opération. Alors se trouve ouverte la voie à toutes sortes de songeries autour de la grandeur de l'Être en Personne et de l'humain en Lui. A la religiosité – certes renouvelée – de Heidegger, il faut opposer la suture ontico-ontologique : il ne suffit pas de dire que l'être et l'étant se co-appartiennent ; il faut dire qu'il n'y a jamais de structure ontique sans un effet en elle de l'ontologique, qu'il n'y a pas plus d'espace ontologique sans une localisation de celui-ci strictement immanente à l'ontique. L'étant est à l'être, comme l'être à l'étant. Sans cela, l'Être se déploie en énigme dans l'au-delà, et il redevient une Transcendance d'un nouveau genre.

En d'autres termes, la connexion entre les deux aspects du matérialisme est la clef d'une pensée rigoureuse. Si l'étant est considéré comme tel, sans introduire la dimension ontologique, la pensée retombe dans un matérialisme vulgaire et inaccompli, au mieux scientifique ; mais si la dimension ontologique est marquée par une quelconque prééminence – c'est le cas de Heidegger – le matérialisme s'enivre des vapeurs de l'Être mystérieux et se retourne comme un gant en idéalisme. Seulement voilà : qu'est, au juste, cette connexion hautement spéculative ? Et comment en assurer la pensée ?

Badiou et Deleuze construisent autour de cette question des matérialismes fort différents. Il est possible que cette question n'ait jamais été, en apparence, celle de Deleuze. Tout à fait, si justement le problème central de la pensée de Deleuze est, à mes yeux, de ne point tenir ferme sur le matérialisme et de reconstituer une enchanteresse fonction d'illusion dont nous devons apprendre, en dépit des prodiges de son écriture, à nous défier. La question est en revanche centrale, explicite, dans l'œuvre de Badiou, et c'est donc tout naturellement de ses problématiques qu'il faut partir. Mais l'on pourra se demander, là encore, si la thématique de l'événement ne fait pas figure, dans ses conceptions, de grâce dernière. D'autres dispositifs, dès lors, seraient-ils possibles ? Quelque philosophie, si j'ose dire, vraiment disgracieuse ? Mais avec quels buts, quelles ambitions et quelles éthiques ?

L'ambition de Badiou, en tous cas, à savoir construire une ontologie et une doctrine du sujet intégralement matérialistes, en fait un philosophe instruit de la leçon d'Epicure. Le vide est certainement central dans la pensée de Badiou, et il faut voir comment ce dernier ne cesse d'activer ce concept dans le soustractif de sa démarche. La première conséquence d'une pensée du vide est en effet qu'il n'y a de savoir du vide que par la manière dont se trouve soustrait quelque chose du procès de détermination. Il n'y a évidemment pas d'intuition du vide, mais il y a la manière dont le vide s'excrit dans l'inscription présentielle. Rappelons que l'on rencontrera cette excription au moins de cinq manières dans le système de Badiou, chacune donnant lieu à un type particulier de rapport entre la détermination et l'indétermination.

1. Au fondement de l'ontologie : le vide. Tout multiple est multiples de multiples si bien qu'en dernier ressort le multiple n'est prédicat que du vide. L'onticité se ramène à l'ontologique comme le multiple au vide. L'Être heideggérien se trouve ainsi défait de tout sacre. Il n'est que la manière dont l'infinité du multiple donné se consume en dernier lieu dans l'a-signifiance. Certes, la multiplicité dessine une quelconque onticité dès lors que, structurée, elle forme, par sa détermination limitative, des unités apparentes ; mais multiple, vide et infini s'équivalent ontologiquement.

Dans la théorie des ensembles, l'ensemble vide, ∅, fait symptôme de cette inhérence du vide ; l'être vide de l'étant n'est jamais suspendu à une énigme mais, corrélé à ses localisations singulières, il se trouve être parfaitement opératoire, bien qu'a-signifiant : il est la matière première et suffisante pour opérer sur des ensembles – tout ensemble est en définitive composition de vide, la théorie n'a besoin de nulle autre donnée primitive. La première des exigences est ainsi réalisée : jonction entre les matérialismes du vide et des multiples.

2. Mais l'événement – dont vient qu'il y a du sujet – est lui-même rupture ou excès au regard de l'ontologie, et de ce que le tissu des multiples mathématisés peut déterminer. Il ne flotte nullement au-delà, puisque sa localisation s'insère totalement dans les structures. Il n'y a pas d'événement en soi, d'événement global, mais des sites toujours singuliers où son éclat paradoxal peut venir à l'être. Mais son illégalité, dès lors, s'avère dans ce site. L'événement est cette occurrence du vide qui prend la figure de l'indécidable, puisqu'il ne se laisse pas présenter dans le système de la détermination de l'être. C'est pourquoi il peut toujours être nié ou au contraire enduré, selon précisément l'effet du sujet intervenant (qui décide : il y a événement), se faisant fidèle à son avoir-eu-lieu (connectant des multiples à cet événement), ou au contraire restituant à la détermination un empire illimité, niant ainsi qu'il y ait de l'événement (rien n'a eu lieu).

Nous n'en déduirons pas trop vite que le sujet a pouvoir sur l'indécidable vide de l'événement ; car s'il y a de l'animal humain partout où il y a des hommes, il n'y a du sujet qu'à l'occasion de cette reconnaissance de l'événement, et de la rupture dans l'être qu'il opère.

Deuxième exigence : ce qui n'est pas de l'ordre de l'être structurel – de la matière multiple – et qui rend possible l'existence du sujet n'est qu'une autre occurrence du vide, l'indécidable.

3. Mais le sujet, lui-même, est indiscernable. C'est la troisième occurrence du vide. Le sujet n'est certes pas une substance d'un autre type que la multiplicité immanente. Mais

si, animal humain, l'homme est lié de toute part et en lui-même, organiquement, à la matière multiple de l'être, il est aussi celui qui peut reconnaître, nommer l'événement, et produire un processus qui traverse cette matière et ces multiples en les corrélant – ou non – aux événements. Ainsi fidèle aux événements, il produit l'infinité d'une vérité de l'événement. Cette production n'est pas une vue de l'esprit, c'est l'être même d'un sujet agissant et militant dans l'être animal ou structurel. Mais cet être même du sujet n'est nullement déterminable à partir de l'ontologie – qui peut seulement déterminer l'animal humain, les structures en général, mais certes ni l'événement ni la causalité extra-ontologique de l'événement. Bien que l'ontologie puisse noter quels éléments sont connectés, pour un sujet, à un événement – la fidélité restant parfaitement immanente dans sa trajectoire au monde –, le sujet est le moment local, évanouissant, indiscernable de la fidélité qui se fait, et qui trace une opération en droit infinie, dépassant toute dualité de l'objet et du sujet, procédure où l'être du monde, l'homme (comme animal et comme sujet), et la pointe événementielle composent une paradoxale indissociabilité.

4. Mais la vérité de la procédure événementielle n'est nullement (sinon par illusion) un déterminé. L'infinité de la procédure ne rencontre pas une essence terminale où s'instruire de ce que cela aura été, cet événement. Toute vérité est générique : c'est la quatrième occurrence du vide, qui nomme un multiple indéterminable dans la situation, bien qu'on puisse s'assurer de son immanence à la situation. Un multiple – qui serait la vérité de l'événement – tel qu'il se compose à l'infini, et dont les composantes ne sauraient être totalisées sous un prédicat : vérité intotalisable, absolument vague si l'on veut, mais qui n'insiste nulle part ailleurs que dans l'immanence, qui n'ouvre à aucune transcendance.

5. Mais enfin, le sujet pourra toujours forcer la vérité de cet événement. C'est là la croyance savante et militante qui est la nôtre, dès lors qu'intéressés par l'événement qui est le nôtre, nous devenons sujet, et parcourons sa vérité, sans nous laisser

méduser ou abrutir par le vide qu'elle convoque en dernier lieu. Cela revient à cette anticipation de savoir qui prend la forme, pour Badiou, d'un futur antérieur : ce qui aura été vrai si l'on suppose que la vérité est achevée. Formant un ensemble générique, la vérité n'est certes pas déterminable, mais l'on peut parier que telle ou telle composante appartient à son être générique. Le forçage, par l'hypothèse, permet alors de déduire des conséquences : il aura été vrai que y si x est dans la vérité générique. Le savoir et le véridique peuvent donc pénétrer le générique d'une vérité, et c'est ainsi, essentiellement, que nous construisons nos procès de sens ; seulement, toute vérité générique admet un point qui n'est pas forçable, un point innommable – dernière occurrence du vide –, et qu'il est absolument nécessaire d'admettre pour ne pas retomber dans l'illusion désastreuse d'une possession de vérité l'assimilant au savoir. Aucune nomination ne s'ajuste à ce terme. Un tel terme n'est pas lui-même innommable en soi mais au regard d'une procédure singulière, pour laquelle il est unique.

Une telle et remarquable construction doit donner lieu, finalement, à deux remarques. Bien voir tout d'abord à quel point la pensée de Badiou s'emploie à l'entrelacs, ou plutôt à la torsion : sa philosophie est certainement, au centre, marquée par la rupture entre l'ordre de l'être structurel et celui du sujet, via l'événement. Mais jamais l'ordre de l'événement, et du sujet, ne doit surplomber en transcendance l'ordre de l'être structurel. L'événement, la fidélité, le sujet, la vérité sont immanence paradoxale, et le paradoxe n'existe que suturé à la matière ontologique où il s'exerce. Son matérialisme est d'humaine exception, mais l'exception n'existe que dans l'immanence radicale du champ ontologique. Ensuite, et c'est la deuxième remarque, la fonction du vide admet autant de variations que la description du rapport de l'homme à l'être le nécessite, si bien que nous avons des figures du vide qui se laissent rigoureusement pensées à partir du donné, autant de types de soustractions de cette matière : il y a, en soubassement, le vide ontologique ou s'achève l'onticité des multiples, puis, sur le plan ainsi constitué, il y a l'indécidable de l'événement, l'indiscernable du sujet, le générique de la vérité, l'innommable du forçage.

Revenons un peu, dès lors, à Epicure. Non pas que nous croyions en un décalque possible. Mais au contraire, nous devons sentir comment les quatre exigences d'Epicure trouvent selon un dispositif autre leur conceptualité : 1) S'en tenir aux déterminations de l'être, les atomes et leur flux ; pour Badiou : constituer un champ du multiple pur où tout, y compris l'exception subjective et ses procédures, se tient. 2) Faire sa part au vide : Badiou en multiplie les formes. 3) Penser le *clinamen* : Badiou nomme l'événement. 4) Penser le sujet dévié : Badiou en fait l'exception rare.

Quant à Heidegger, et à la différence ontico-ontologique, nous ne sentirons pas moins à quel point la construction de Badiou accomplit la nécessité d'une jonction permanente entre les plans ontiques et ontologiques, entre le matérialisme ontique et le matérialisme ontologique, dès lors que le procès du vide – de l'être – se dit à partir de soustractions locales et différentielles, cessant ainsi d'être ce dernier avatar de l'objet qu'est l'Être majuscule de Sa Majesté Heidegger.

En quoi nous nous approchons certainement de la grande question matérialiste : comment faire exception de la matière – pour y loger l'humain et son prétendu esprit – sans y renoncer ? Et l'on voit que la réponse de Badiou est la suivante : par le vide, par ses soustractions dans la matière, et plus particulièrement par l'événement, occurrence tout à fait humaine du vide, et qui suffit à nous faire exister au-delà des structures.

Epicure, Badiou, Deleuze

Or, et c'est tout à fait remarquable, les principes d'Epicure présentent une autre disposition sur deux points particuliers : d'une part, il ne saurait être question d'une humaine exception, le matérialisme plongeant l'homme dans la nature : par quoi le *clinamen* n'est pas à l'homme en lui-même, mais à la nature, et, par répercussion, permet suffisamment de penser ce dernier. Badiou au contraire doit faire de l'événement humain son *clinamen*, exciser plus fortement son plan de composition à la charnière nature/homme. D'autre part, le vide d'Epicure reste impassible, tandis que Badiou doit en multiplier les formes et les occurrences dans la matière même – le vide est ce soustractif transitif aux multiples qui forment la matière de l'ontologie.

Ontologie = Mathématiques = Théorie des ensembles, l'équation badiousienne à de quoi surprendre ceux qui ne voudraient entendre, dans le matérialisme, que l'affirmation vulgaire selon laquelle : "Tout est matière". Car le débat constant dans l'histoire des idées est de savoir ce que l'on entendra par une telle matière, sa substantialité dernière, non moins que les qualités fondamentales qu'on lui accordera. La controverse, à nouveaux frais, est encore active dans le duo Badiou/Deleuze. Le résultat, on le sait, c'est que Deleuze est notre super-physicien du multiple, tandis que Badiou en est le mathématicien. L'un entend par matière une nature partout active et vitale, irréductible aux mécanismes du déterminisme scientifique, intégralement différentielle et intense. L'autre entend par matière un tissu anonyme, réglé, qui est la trame idéale de notre monde.

On pourrait nommer le clivage à partir de Platon et d'Aristote, aussi étrange que cela puisse paraître. Lorsque Badiou dit, en effet, qu'il est un « platonicien du multiple », il veut signifier que son mathématisme nous donne l'être des choses, de même que l'Idée platonicienne nous offrait le visage intelligible du sensible : consommer une rupture avec l'apparence est nécessaire à celui qui veut réellement avoir l'intelligence du réel.

C'est la leçon de Platon, selon laquelle les formes mathématiques sont une réalité suprême.

On sait qu'Aristote, au contraire, pense que les mathématiques sont une contemplation esthétique, et que toute son œuvre tend à montrer que la nature est le seul foyer réel de l'intelligible.

L'espace abstrait où Badiou installe d'abord son ontologie, ensuite sa doctrine d'exception du sujet, c'est donc la mathématique, cette pensée à même, selon lui, à partir du paradigme des ensembles, de nous donner en général la structure ontologique de toutes les situations mondaines que l'on pourra considérer. Ainsi l'abstraction n'est-elle pas un appauvrissement du réel : les mathématiques explorent le réel mondain comme autant de cas d'un déploiement ontico-ontologique plus large en variétés mais dont la capacité est toujours de saisir les multiplicités effectives.

On comprend dès lors que Deleuze puisse répondre à Badiou que sa pensée reste infectée par un néo-kantisme qu'il ne goûte guère, pour sa part – des conditionnants (les mathématiques idéales) plus larges que les conditionnés (l'immanence), une homogénéisation des multiplicités sous la catégorie de situation en général, bref tout un système qui bricolerait une image abstraite de la multiplicité au lieu d'en éprouver cette réalité changeante et charnelle que la nature nous offre.

Aristote, lui aussi, préférait les boyaux de chats aux mathématiques sévères.

A la croisée – certes aventureuse – des chemins d'Epicure, de Badiou et de Deleuze, l'on doit dire que sur un premier point, au moins, Deleuze restaure quelque chose d'Epicure contre Badiou : oui, dit Deleuze, le matérialiste est un physicien. Il s'agit de rendre compte des flux concrets, et de leurs rencontres singulières.

Mais ce n'est pas tout : Deleuze, comme Epicure, n'instaure aucune séparation flagrante entre le régime humain et l'ordre naturel. S'il y a, chez lui, d'une manière ou d'une autre, du *clinamen* (au sens d'une indétermination de la détermination) celui-ci n'est pas à la frontière entre le sujet et la nature, dans cet événement badiousien, mais ici et là, partout, dans la manière dont l'homme et la nature se différencient sans cesse.

En revanche, Deleuze ne saurait aucunement admettre le principe du vide. Ce qu'il lui substitue est, comme nous l'avons vu, le virtuel. Le vide est tout au contraire pour

Deleuze l'opération d'abstraction (surcodage) par laquelle l'homme, par la vertu du langage, fait entrer l'illusoire transcendance dans le naturel.

Bien entendu, ces analogies ont les défauts de leurs qualités. Et leurs généralités dissimulent des inflexions complexes. Précisons un peu :

1) Principe de matérialité (matérialisme ontique) :

Epicure – Tout ce qui est est flux d'atomes, infinis en nombre, insécables, produisant forme, poids, grandeur et mouvement, composant divers corps. Le matérialisme est une physique.

Badiou – Tout ce qui est est multiplicités réglées et homogènes dont les mathématiques nous révèlent l'être légal. Le matérialisme est un mathématisme ontologique.

Deleuze – Tout ce qui est est multiplicités mouvantes, vitales, intensives, et hétérogènes qu'on ne saurait réduire ni à un mécanisme déterminable (Epicure) ni à une légalité abstraite (Badiou). Le matérialisme est donc une physique non-objectale, une super-physique finalement.

2) Du vide et du matérialisme ontologique :

Epicure – Le vide existe et il est infini, impassible. En lui se meuvent les atomes.

Badiou – Le vide est le nom de l'être en tant qu'être. Penser l'étant et l'humain consiste à montrer les effets divers du vide.

Deleuze – Le vide n'existe pas. La nature est intégrale et pleine. Le vide n'est qu'une illusion de transcendance. Ce qui existe, et qui n'est pas semblable à l'actualité d'une multiplicité, bien qu'inséparable de cette actualité, est le virtuel.

3) Le *clinamen* et la question de l'exception :

Epicure – La composition des atomes (leurs rencontres, l'existence des choses et des mondes) admet un principe originel et indéterminable, qui est la déviation, le non-parrallélisme des atomes en chute, ainsi s'entrechoquant. La détermination de la présence suppose donc un coefficient d'impensable.

Badiou – L'événement existe. L'être est brisé dans son immanence même, quoique rarement et pour l'humain, là où advient un indécidable avoir-eu-lieu, qui est illégalité au regard de l'ordre mathématique de l'être. De là naîtra l'humain sujet.

Deleuze – Partout dans la nature multiple, les points sont des vitesses, les droites des courbes, les unités des rencontres... Toute détermination est approximation, et tout ordre un désordre ; il y a partout et toujours des variétés de *clinamens*.

4) Le sujet :

Epicure – L'homme appartient à la nature. Ce qu'on nomme esprit est types d'atomes. L'homme est de flux et dans les flux atomiques. Mais comme une indétermination originelle (le *clinamen*) fait les choses, l'homme a en lui de l'indéterminé, voire de la liberté. Ainsi peut-il parvenir au savoir et à la sagesse.

Badiou – L'homme est animal naturel et exceptionnellement sujet. De toute part, certes, il est pris dans l'inflexible légalité. Mais il devient sujet en se faisant fidèle aux événements. Car l'au-delà de la structure lui est confié alors, dans un processus qui n'est pas rien, bien qu'en lui-même sans destination ni possession ni essence.

Deleuze – L'homme est multiplicités dans les multiplicités. Mais il ne trouve son authenticité qu'à la condition de dissoudre le réel d'illusion, essentiellement social, et de s'en remettre à sa nature multiple.

Ces réseaux permettraient au moins de s'apercevoir des quelques décisions fondamentales qui posent problème :

1. Le matérialisme est-il une physique (Epicure et Deleuze) ou un mathématisme (Badiou) ? Cette physique est-elle un déterminisme classique, une sorte de mécanisme, Epicure, ou une sorte de super-physique travaillant une matière irréductible au mécanisme, et sans doute même à l'opposition entre vitalisme et mécanisme (Deleuze). Mais comment, en tout état de cause, penser la connexion, de fait, entre mathématiques et physique ?

2. Le vide existe-t-il, est-il l'être de l'étant (Epicure et Badiou) ? Ou bien faut-il le rejeter et voir au contraire en lui une non-intelligence du multiple (Deleuze) ? Est-il un principe

immuable et neutre (Epicure), ou bien doit-on en inspecter les variétés en corrélation avec les multiples (Badiou) ?

3. Où aller penser l'exception ? A l'origine, persistante et indéterminable dans la détermination (Epicure), absolument partout, derrière les apparences paresseuses, signature du multiple (Deleuze), ou bien rare, illégale et humaine exception événementielle (Badiou) ?

4. Une fois acquise l'immanence de l'homme à la nature (Epicure, Deleuze, Badiou), que dire du sujet ? Est-il celui qui, conscient, fait sagesse des corps et des plaisirs mesurés, sans crainte (Epicure), celui qui doit en quelque manière revenir à la nature vraie et à la vie intense (Deleuze), celui qui doit endurer l'événement pour que paraisse ce dont, en plus de son être naturel, il est capable (Badiou) ?

Badiou : Anti-Deleuze

Le *Deleuze* de Badiou, comme nous en avions fait la remarque, a suscité bien des polémiques. Il a tant déplu aux deleuziens que certains y ont vu l'incompétence avérée de son auteur dans l'art de lire l'œuvre du Maître, d'autres encore de la malhonnêteté intellectuelle. Finalement, beaucoup s'en tinrent à des motifs qui n'éclairaient pas du tout la seule question essentielle de cette affaire – à savoir : quel matérialisme de la multiplicité fonder aujourd'hui ? – en interdisant à Badiou de lire Deleuze d'égal à égal, c'est-à-dire à partir de son propre travail. Se demander si Badiou a le droit de lire Deleuze comme il le fait, s'il le lit bien ou mal, c'est là une question inintéressante – pour tout dire œdipienne – parce qu'elle n'atteint pas à la problématique du tandem, et aux perspectives ainsi ouvertes.

Badiou montre clairement dans cet ouvrage que la chose en question est l'immanence radicale. Deleuze a-t-il ou non constitué, en dépit même de son projet avoué, cette immanence radicale, l'ontologie plate ? La réponse est non. Pourquoi ?

Pour la simple raison que sa philosophie des multiplicités présuppose partout l'Un-Tout de l'Être et de la Nature.

Bien entendu, la surface de son œuvre expose une multiplicité chatoyante, dont il semble construire la conceptualité nouvelle et rigoureuse. Mais il faut en venir à la méthode partout en usage dans le travail de Deleuze. On découvrira d'abord qu'il y règne une monotonie certaine, malgré la diversité apparente des préoccupations deleuziennes. Si Deleuze a écrit sur toutes sortes d'auteurs, sur le cinéma, la peinture, s'il semble se dévouer à l'inépuisable variété du concret, si son intérêt le porte partout où il y aurait des cas de pensée à étudier avec en tête le respect de leur singularité, si les batteries de concepts dont il fait usage semblent autant de variations ainsi adaptées au concret, ce que Deleuze fait, en dernier lieu, dans la scintillation admirable de sa pensée et de son écriture, c'est, selon Badiou, invariablement reconstruire le même schéma.

Tous ces cas sont autant d'occasions de mettre en place une même intuition, en quoi sa pensée peut être dite systématique et abstraite. Par exemple, l'analyse du cinéma par Deleuze ne forme pas une analyse sur le cinéma, une pensée du cinéma, en dépit de la multiplication des exemples, et de l'érudition de Deleuze : c'est plutôt le cinéma qui est matière pour la création de concepts proprement philosophiques. Deleuze lui-même le dit, et on ne doit pas penser qu'il s'agit là du sanglant de la critique de Badiou ; seulement une mise-au-point initiale destinée à ceux qui font de Deleuze le chantre de l'interdisciplinarité. La pensée de Deleuze n'est concrète, comme toute philosophie, qu'autant que la philosophie l'est. La critique de Badiou ne porte pas sur le caractère abstrait et systématique, bref philosophique, de la pensée de Deleuze, mais sur le montage primordial du dit système.

L'intuition fondamentale de Deleuze est la construction d'un parcours à vitesse infinie entre l'être et l'étant, l'ontologique et l'ontique. Penser, pour lui, consiste à ré-enchaîner perpétuellement l'étant singulier et l'Être, dans un va-et-vient – un mouvement – qui est justement l'intuition suprême de l'énigme ontico-ontologique. L'Être, en lui-même, n'est rien d'autre que la différence dans ce mouvement. Mais cette différence est aussi bien celle qu'il y a entre l'intensité propre à tel ou tel étant singularisé et l'univocité ontologique dans laquelle il est pris.

L'ontologique est ainsi pour Deleuze l'espace unificateur où les étants se déterminent en des inflexions particulières, des simulacres, et cela sur le fond d'une indétermination qui se révèle plus essentielle que la particularisation de passage.

Certes le fondement est un anti-fondement – mais comme c'est le cas dans beaucoup de philosophies contemporaines – puisque l'Être est aussi bien cette donation universelle du sens qui elle-même ne fait pas sens ; mais il n'en reste pas moins que l'on se trouve, selon Badiou, en face d'une sorte de spinozisme ontico-ontologique, avec sa substance ontologique et ses modes ontiques.

Précisons : il faut prendre garde à ceci que les formes métaphysiques de l'Un et du Tout peuvent toujours renaître de leur cendre, y compris dans une philosophie, comme celle de Deleuze, qui dit les exclure. L'Un et le Tout font retour, chez Deleuze, parce que ce dernier installe les singularités ontiques sur l'univocité de l'ontologique.

La construction de Deleuze va opérer par doublet. Il faudra sans cesse rendre compte du déterminé singulier, de l'étant, d'une part, et puis, d'autre part, de sa condition ontologique. Mais le doublet ne se fait pas sans hiérarchisation : le déterminé, qui doit être pensé en lui-même comme différence pure, tire toujours cette différence de l'Être indéterminé. Deleuze produirait alors des couples de catégories tels que le premier nom, ontologique, fonde le second, ontique. Plus exactement : du premier nom sort la paire elle-même, de l'ambiguïté de l'Être viennent les dimensions ontiques et ontologiques. En d'autres termes : la stricte suture ontico-ontologique n'est pas établie, et l'ontologique plane au-dessus de la dimension ontique, avec la mauvaise foi propre aux transcendances : à la fois élément apparent d'un dispositif et principe préférentiel du dit dispositif, que la transcendance surplombe ou fonde en même temps qu'elle consent à y descendre. Sans doute, Deleuze ne s'en est-il pas tenu à la thématique de l'Ouvert heideggérien, et il a redonné aux étantités singulières leur réalité ; mais, pour Badiou, Deleuze, comme Heidegger, aurait perpétué à sa manière le chant de l'Être.

Le premier doublet se dit : virtuel/actuel. Au lieu de faire son droit au vide, seul concept capable de penser l'ontologique sans y injecter l'Être majuscule, Deleuze va promouvoir le virtuel, qui sera fondement de l'actuel. Le virtuel est l'Un de l'Être dans l'existant singulier, dont celui-ci n'est qu'une actualisation. Si on ne le confond nullement avec le possible, mais qu'on le conçoit comme le processus réel de différenciation de l'être, on doit dire que tout étant est actualisation d'un virtuel qui l'englobe, le fait et le défait.

L'actuel est la modalité transitoire du virtuel ; et l'on voit aussi bien réapparaître ici ce constant privilège accordé par Deleuze à l'inobjectivable sur l'objectivé, à la vie et au mouvement sur le défini et le stable, *etc.*

Cependant, Deleuze ne pouvant restaurer une dichotomie absolue dans l'Être entre l'actuel et le virtuel, il lui faudra maintenir le doublet dans les choses, c'est-à-dire affirmer que l'un et l'autre sont des parties de l'objet, qu'enfin le virtuel n'est pas un pur indifférencié, mais, qu'à partir de cette limite de toute consistante qu'est le chaos, il admet lui-même des déterminations de la même manière qu'un problème et une solution se répondent.

La conséquence générale, dit Badiou, c'est que le virtuel finit par indéterminer les choses, qu'on s'en remet à cette théorie de la double nature des choses où il ne serait pas possible de distinguer précisément actuel et virtuel, bref que l'on fait sa part à un principe aussi obscur que la finalité. D'autant plus Deleuze tente-t-il de montrer l'existence réelle du virtuel, d'autant plus doit-il, pour ce faire, rendre irréel le monde de la présence. Les choses se dédoublent, comme auras naissant des corps ; l'on en vient, pour chaque chose, à un Deux impensable et général, actuel/virtuel, un Deux qui montre surtout que l'on n'a pas su expliquer quelle singularité concrète et absolument actuelle cette chose-là est – ici et maintenant.

Aussi bien retrouvons-nous la dispute sur le plan de la matière première de la pensée : mathématiques ? Ou bien super-physique ? Là encore Badiou distingue très bien le bergsonisme de Deleuze, dont on doit dire qu'il ne s'élance vers son chant vital qu'à la condition d'opérer d'abord une distinction hiérarchique : il faut sans cesse, chez Bergson comme chez Deleuze, opposer le multiple factice à la multiplicité fusionnelle et réelle (matière et durée, chez Bergson). Or, le multiple factice, c'est précisément pour Deleuze – comme pour Bergson – ce multiple fabriqué par une détermination, et qui se laisse décomposer atome après atome. Deleuze y oppose la multiplicité vraie, qui n'a pas de partie comptable, qui change de nature au fur et à mesure de son mouvement même.

Pour ce faire, Deleuze opposera précisément la multiplicité mathématique, les ensembles, au paradigme de l'ouverture vitale. C'est dire que l'ensemble est pour Deleuze la multiplicité ratée, alors qu'il est pour Badiou l'inscription dans son être de tout multiple. Badiou fait ainsi remarquer que Deleuze néglige complètement l'évolution mathématique de son siècle, qui est justement, par la théorie des ensembles, de fournir le modèle de toutes sortes de multiplicités, et de précéder même la problématique du clos et de l'ouvert. Au fond, dit Badiou, ne nous expliquera-t-on jamais ce que veulent dire précisément un rhizome, un pli, une meute, un infini, alors que chacune de ces figures trouve d'abord dans l'ensemblisme sa détermination claire et précise ?

Il s'en suit que pour Deleuze construire la pensée à partir des ensembles, c'est rater à jamais le virtuel dont ils ne sont pas capables, c'est ramener la création des concepts, comme nous l'avons vu, aux fonctions scientifiques d'actualisation ; tandis que, pour Badiou, ne point s'assurer des multiplicités dans l'ensemblisme, c'est métaphoriser la multiplicité et rêver en pensant.

Au virtuel, Badiou opposera donc l'actualité pure du multiple, et sa localisation stricte dans une situation : le virtuel est aussi un rêve de globalité, incapable de retenir la singularité dans l'ici et le maintenant assignés, qui pourtant la définissent. S'il y a un excès des choses, celui-ci est tout à fait immanent aux ressources des choses, à leur structure de composition, et à leur tissu de matérialité multiple : l'excès est, comme nous l'avons vu, celui des sous-ensembles pour un ensemble donné, l'inépuisable ressource de la présentation et de la représentation, soit le compte sans fin, dans une situation, des multiplicités et de leurs combinatoires. Qu'on ne fasse point le tour du multiple ne signifie pas que celui-ci est envoûté par les sorcières virtuelles, par quelque vie immatérielle, mais que sa composition immanente excède les opérations humaines de connaissance.

Voyons comment Deleuze, selon Badiou, doit déployer sa systématique à partir de l'affirmation d'un virtuel identifié à l'être de l'étant. Il s'en suit une doctrine de la vérité assimilée à la puissance temporelle. Deleuze répudie d'abord l'idée disons traditionnelle de vérité. Au mieux est-elle liée à la possibilité d'un actuel, mais jamais elle n'est la réalité du virtuel : le possible est un jeu de miroirs abstrait que l'on ne doit nullement confondre, dans la pensée de Deleuze, avec le travail du virtuel différenciant effectivement. Vérité nommerait alors le renvoi d'un étant à ce jeu de miroirs à partir d'un point de transcendance établi sur un plan de référence de type scientifique. L'étant correspond-il, en somme, à un modèle ? Mais ainsi on rate parfaitement l'existence effective et différentielle, ainsi que la valeur du virtuel impliquée en elle.

Contre cela, la pensée deleuzienne de la vérité ne peut que se réaliser dans sa théorie du temps. La vérité, c'est que toute forme actuelle n'est que la différenciation d'un virtuel qui fait et défait, et libère toujours d'autres différences. Autant dire que toute forme actuelle est fausse, et que seule est vraie la puissance du virtuel. Mais comme la forme actuelle est elle-même le fruit du virtuel, il conviendra davantage de dire que la vérité est la totalisation virtuelle des formes actuelles du faux. Le temps est décisif, ici, puisqu'il est tout aussi bien la manière dont le virtuel actualise. Il s'en suit donc que Deleuze doit affirmer que le temps est la vérité elle-même, étant ce par quoi l'actuel se fait et se défait, et ce par quoi le virtuel différencie encore : le temps dit que la vérité est au faux comme le virtuel à l'actuel. Encore faudra-t-il, selon Badiou, que Deleuze aille plus loin : qu'il pense à la fois le caractère éternel du virtuel et temporel de l'actuel. Les différenciations ne sont que les changements du Tout, ou de l'Être, le virtuel intégral. Ici s'exprimerait la conception du passé revenant à dire que le passé, loin d'être l'anéanti, est la durée pure – la mémoire pure de l'être, le virtuel en sa somme – et qui à chaque instant fait fulgurer cet actuel qui en dépend.

Finalement, pour Badiou, Deleuze lie le temps et la vérité à une quadruple prise :

L'actuel peut bien être dit faux puisqu'il n'est ce qu'il est que par le virtuel qui l'a différencié et le différenciera. Le présent est le simulacre de vérité.

La vérité se tient donc plus fondamentalement dans le virtuel. Elle est puissance, devenir, et non pas donnée ; la vérité est que rien ne demeure, n'existe en soi, sinon le processus de différenciation. Et le temps est ce processus.

Mais ce processus n'est pas en lui-même temporel. Le temps est intemporel, en tant que vérité, parce qu'il est cette virtualité intégrale. Autrement dit : les multiplicités un instant effectives ne sont que l'expression de l'Être intemporel, ou de la Différence éternelle.

Le passé est aussi bien cette Différence éternelle, parce qu'il est le Tout du virtuel.

L'insistance avec laquelle Badiou traque chez Deleuze cette temporalisation de la vérité s'explique aisément si l'on considère cette fois-ci le statut de la vérité et du temps chez lui. Il ne saurait être question d'admettre cette temporalisation de la vérité, et cela, comme toujours, au nom de l'immanence radicale. De manière générale, Badiou voit dans la philosophie du temps l'occasion de reconduire l'homme au *pathos* de la finitude humaine, et l'incapacité à saisir l'infinité de fait de toute situation. Il y a des présentations, et l'on dérive de ces présentations cette catégorie temporelle. Autant dire que le temps est lui-même multiple, à la mesure exacte de la multiplicité des présentations : il y a des temps, ceux des situations. Mais la méditation sur Le Temps est inadéquate et abstraite. La singularité, c'est l'effectivité d'une situation ; et l'actualité est totale pour Badiou.

Comme nous l'avons vu, la doctrine de la vérité est centrale chez Badiou. Elle est la marque de sa spécificité, puisqu'il affirme à la fois l'existence réelle des procédures de vérité, par lesquelles, à partir des événements, nous devenons sujets, et son inexistence en tant qu'essence assignable, dont la marque vide – la soustraction – permane cependant ici, de même qu'un ensemble générique ne saurait se laisser déterminer dans le champ des ensembles.

C'est pourquoi ce qui l'oppose profondément à Deleuze sur ce point tient à ceci que Badiou dira qu'une vérité – et il n'y a que des vérités – est interruption au regard des structures de l'être. Rappelons qu'une procédure de vérité se fait à partir d'un événement que le sujet reconnaît, bien que cet événement puisse être rabattu sur l'être structurel, et que l'on puisse toujours nier sa venue. Mais ce sujet qui intervient, nomme et se rend fidèle à l'événement produira le processus infini de sa vérité, certes nulle part ailleurs qu'ici, dans les structures de l'être, mais aussi au-delà... Une vérité est en ce sens, pour Badiou, à partir de l'événement, une interruption de la structure et de sa temporalité d'opinion qu'elle défait.

Une telle interruption ouvre en même temps à une sorte d'éternité des vérités. Pourquoi cela ? Parce que la procédure est infinie et qu'elle n'aboutit pas, toute vérité étant générique : là se tient ce qui fait que, bien qu'étant toujours l'expérience d'un sujet en particulier, toute vérité est en même temps adresse universelle, pour ainsi dire par la force du vide convoqué. Le générique des vérités signifie qu'une vérité engendre pour ceux qui la soutiennent une suspension du temps. C'est là aussi le sens de l'adage de Badiou selon lequel vit en sujet celui ou celle qui vit en immortel, c'est-à-dire celui ou celle qui est capable de suspendre la temporalité banale des situations pour expérimenter dans sa course mondaine qu'il est transi de l'infini des vérités dont il est fait.

En somme, la critique qu'adresse Badiou à Deleuze est la suivante : la doctrine du virtuel aboutit à l'équivalence du temps et de la vérité ; puis le temps est lui-même pensé comme simple expression de la Différence éternelle, qui est l'Un-Tout, et l'Être réel des différences effectives et passagères. Bref, Deleuze croit au Temps, comme l'on croit en Dieu, ce qui revient une fois de plus à nier l'immanence radicale, l'ici et le maintenant que nous avons à penser.

Croire au Temps c'est toujours ensuite croire à l'Eternité de ce Temps, lorsqu'on l'envisage finalement comme ce Tout où toute chose passe mais qui ne passe pas lui-même.

L'être est intégralement actuel, et ce que nous nommons le temps n'est lié qu'aux diverses manières dont se font les présentations multiples. En revanche, dans une situation, peut venir le processus d'une vérité d'un événement, qui est interruption de ce temps, et expérience d'une suspension du temps. Mais cette suspension n'est pas l'Eternité cosmique de Deleuze parce qu'elle s'expérimente singulièrement, dans un travail de fidélité qui ne peut ni ne doit nier que l'événement est pris, malgré tout, dans l'être, et parce que la procédure circule nécessairement dans la temporalité banale, bien qu'elle ouvre à l'abolition du temps : événement mais immanence radicale, sujet mais animal humain, tout à la fois – une fois de plus – chez Badiou.

Badiou trouvera une confirmation du préjugé substantiel de Deleuze dans les développements que ce dernier consacre à l'éternel retour.

On sait que Deleuze reprend à sa manière l'invention de Nietzsche. Nous en avions dit deux mots auparavant : l'éternel retour est la signification ultime mais non-signifiante de l'univers, ou de la Nature ; il est le Sens du sens comme non-sens, mais non-sens produisant les choses et présidant à tout sens constitué. Qu'est-ce que cela veut dire ? Que le Sens de la Nature est intégralement contenu dans l'affirmation de la

Différence, qui ne saurait par là admettre aucune origine, ni aucun *telos*. D'où vient cela ? Pourquoi y a-t-il ? Qu'y aura-t-il à la fin ? Il n'y a que différences – c'est-à-dire l'infinité du sens mais aussi son équivalence avec le non-sens – et rien ne reviendra ou n'aboutira-à, sinon la Différence qui, elle, reviendra toujours. L'éternel retour est le retour de la Différence. Mais cette pensée a trois caractéristiques :

La Différence est un coup de dés et ce coup de dés doit être unique. Si l'on envisageait une série indéfinie de hasards, quelque chose finirait par revenir qui serait le Même, inéluctablement, puisque les combinaisons reviendraient.

Ce coup de dés cosmique doit affirmer en une seule fois la totalité du hasard. Car là encore s'il y avait une série de hasards, le Même finirait par revenir.

Enfin, le coup de dés signifie que dans tout ce qui arrive, en tout événement ponctuel, ce qui revient n'est autre que Le Hasard, en tant qu'il exprime dans ce hasard le Hasard qu'il est.

Aussi bien l'image de l'éternel retour, chez Deleuze, consone-t-elle avec sa théorie de l'événement, pour laquelle tout événement est subdivision de cet unique, éternel, et ineffectuable Evénement dont chacun exprime un éclat.

Mais alors, dira Badiou, Deleuze ne construit-il pas encore une logistique renouvelée de l'Un ? Certes, le Hasard ainsi affirmé interdit que l'Un revienne, trouve frontière, ou se substantialise, il fait de cet Un - de cette Nature, ou de cet Être – une Différence absolue. Mais pour ce faire Deleuze doit en même temps parier sur le Hasard de l'Un, et du Tout. Le Hasard – encore une regrettable majuscule, ainsi que pour le Temps – doit être attribué à l'Un : le Hasard est Hasard de l'Être dont les étants procèdent.

On ne saurait affirmer le Hasard en une seule fois, ce qui est encore faire sa part à l'Un. Badiou, évidemment, pense tout autrement : chaque événement est *ce* hasard tandis que la forme ontologique de tous les événements est certainement la même puisque l'ontologie du multiple prescrit une légalité – celle des ensembles, pour Badiou.

Non, l'Être n'est pas le Hasard éployé ; ce qui frappe au contraire Badiou, c'est sa permanence anonyme et réglée. Mais, rare et sporadique dans l'immanence légale, qu'un événement advienne, soutenu par un sujet : alors naît une vérité. Cet événement aura été ce hasard, dans une situation singulière, bien qu'universellement analysable selon son être multiple. Et le parcours d'une vérité, initié par ce hasard, traversera lui-même l'immanence selon le hasard intotalisable de ses rencontres. Car sans doute la fidélité connectera ou non tel ou tel multiple à l'événement avec une certaine cohérence, néanmoins libre, mais elle n'est pas pouvoir de choisir l'immanence traversée. Il s'en suit que les événements et les vérités sont incomparables, singuliers, relatifs à *ce* sujet dans *cette* situation, bien que porteurs d'universel par l'entremise du vide qu'ils convoquent : ils sont pluralité des hasards relevés par la force des sujets.

Ainsi donc : Hasard cosmique de Deleuze, Evénement primordial dont tout événement est une effectuation, une particularisation. Légalité de l'Être pour Badiou, ici ou là hasardée singulièrement par la grâce d'un sujet dans l'animal humain.

– Par quoi on notera en passant, pour faire fugitivement retour, qu'il y a aussi *clinamen* originel chez Deleuze, un *Clinamen* de tous les *clinamens*.

Badiou en vient enfin au sujet deleuzien. Question qui engage la définition de la pensée, en tant que pouvoir humain de discerner quelque chose de l'être. Bien entendu, Deleuze récuse au préalable toute conception qui isole le sujet de la nature – cartésianisme, phénoménologie. Ni réflexivité, ni négativité, ni instance constituante du sens. Le sujet sera donc pli de l'Être, pour Deleuze. Qu'est-ce qu'un pli ? Un pli est par exemple mouvement de la feuille elle-même : une limite s'y inscrit mais qui n'est nullement un tracé autre, surajouté, si bien que la poche d'intériorité se fait dans l'extériorité.

Pour comprendre cela plus précisément, il faut rappeler le thème deleuzien du dehors : lorsque Deleuze dit que l'on ne pense que contraint, forcé par le dehors, que toute pensée vient pour ainsi dire comme dans le dos, il veut dire que l'homme ne pense que dans l'exacte mesure où il se laisse déposséder de l'illusion d'egoïté autonome. Il n'y a pas d'intériorité humaine spécifique, seulement des croyances et des constructions sociales, une mythologie de l'âme et de l'individu identifiés. De même n'y a-t-il d'Objet que d'apparence, et d'opinion.

Mais d'un autre côté, si l'on doit récuser la forme d'un sujet et d'un objet classiques, l'on ne doit pas non plus en venir à un abîme indifférencié de la non-pensée, de la pensée impossible. L'humain pense et il est une multiplicité remarquable, parce que capable de soutenir en pensée cette multiplicité et son être. Du point de vue de l'Être, aussi bien doit-on à la fois affirmer que l'immanence n'est que dehors, que tout diverge en elle, bref que tout est dé-liaison, garantie de la singularité de chaque étant ; et affirmer néanmoins que le dehors d'objet à objet, de chose à chose forme un champ intégral : l'Un de l'Être et de la Nature où la disparité se fait. Cela même est la Relation (ontologique) de ces divers. Mais cette dernière, que peut-elle bien être, celle qui nous fait passer, une fois de plus, de l'onticité à l'ontologique ? Elle ne peut être quelque chose de commun aux choses. Elle sera ce qui, dans chaque divers, l'ouvre aux autres, ce qui interdit à toute forme d'être un dedans sans dehors. La Relation est donc ce qui expose toute chose à la force d'un dehors toujours inscrite en elle, et qui, de dehors en dehors, déploie le *même* Être pour toutes les différences.

Penser l'être, et l'étant, inséparablement, c'est donc à la fois endurer la disjonction des étants, leur diversité absolue, et tenir le fil de leur relation dans l'être, qui n'est certes pas un fil substantiel, mais le déroulement d'un dehors pour tout dedans, cela qui interdit que l'on pose où que ce soit des totalités ontiques, mais qui, en même temps, présume une totalité ontologique infinie : c'est l'Ariane du dehors comme tel. C'est en ce sens que Deleuze peut dire que le non-rapport est encore un rapport : le non-rapport ontique est pour lui rapport ontologique.

La figure du pli ne dit pas autre chose : dans l'être vient une limite, où l'extériorité se renverse en intériorité, où le dehors se plisse et fait une poche intérieure. Celle-ci n'est cependant rien d'autre que la mémoire, non pas celle qu'aurait un sujet, doué de l'aptitude, mais celle qui fait un sujet, mémoire du dehors comme temps. Enveloppement : du dehors au dedans, et développement : du dedans au dehors, ce sera donc là le double mouvement où l'être et la pensée peuvent conjointement se nouer en un sujet. C'est le pli lui-même qui est le sujet, assurant nouvellement l'axiome parménidien de l'être de la pensée et de la pensée de l'être.

Mais Badiou n'admet nullement, tout d'abord, que l'on doive tirer ce fil d'Ariane : force ou dehors, relation ontologique. Deleuze affirme par là que toute composition est maintenue ouverte. Oui, mais qu'est-ce que cet ouvert où trouveront à s'installer la plupart de ces concepts vitalistes et immatérialistes ? Deleuze n'opère-t-il pas, une fois de plus, comme avec l'actuel et le virtuel, une division de la chose, qui, d'une part, se tiendrait là, disjointe du reste, mais qui, d'autre part, porterait en son cœur ce dehors qui la rattache au reste de l'univers, par un lien qui n'est pas de chose, mais d'autre chose, lien ontologique, mais surtout magique puisqu'on ne saurait le déterminer ? Au-delà du multiple factice, il y a la multiplicité vraie, dynamique, insaisissable, vivante, et qu'on ne saurait recueillir dans la détermination, nous disait déjà Deleuze en opposant le structurel et le vital. C'est maintenant la relation qui, globalement, quant à l'être, flotte au-dessus de l'immanence des étants pour les nouer, certes comme en creux : du mystère, toujours du mystère, et de la totalité : de l'Être-énigme, et des étants simulacres... Le matérialisme de Deleuze, selon Badiou, cache secrètement un irrationalisme certain.

A la relation selon l'être, qui fait le dehors, Badiou substituera localement le site événementiel. S'il est vrai que penser suppose de prendre en considération autre chose que la densité apparente de l'étant, si penser une situation c'est se diriger vers ce qui en elle n'est plus couvert par le régime général des structures, ce dont il est rendu compte, alors, n'est pourtant pas ce virtuel ou ce mouvement du dehors excédant la situation multiple, mais, au centre de ce qu'elle est, ce qui la porte à être au bord du vide, presque soustraite à sa régulation en multiplicités structurées.

Effet d'un vide local à la frontière de son onticité, diffraction singulière du vide de l'Être en elle, ou plutôt pointage en creux de sa suture au vide, et qui possibilise qu'il y ait ici, en elle et à partir d'elle, de l'événementiel. Il en résulte que, pour Badiou, c'est dans l'inspection de chaque situation que l'on trouvera la possibilité de ce point d'exil, et qu'à partir d'un tel point de vidée on ne saurait tirer un fil continu, dansant en général au-dessus des situations, comme une transcendance en creux parcourant les onticités au nom de l'Être, ce que lui semble être la relation deleuzienne d'un perpétuel dehors. Le point de vidée est dans le dedans, bien qu'évidemment la découpe et la composition des situations aillent aux infinis. Le point et ses ressources événementielles résultent du marquage ontologique immanent à une situation.

Quant au sujet, nullement ne sera-t-il dès lors un pli de l'Être, puisqu'il ne sera initié que par la reconnaissance ponctuelle de ses événements où quelque chose lui arrive. Que ce quelque chose d'autre que l'être structurel anonyme ne soit rien de déterminable lui donne justement l'endurance ou le courage de persévérer dans la production d'une vérité de cet événement au milieu des multiples qu'il traverse.

Pure évanescence de cette vérité se faisant, et qui n'est pas une contemplation du monde, mais le parcours concret et infini dont le sujet est l'enjeu ou le soutient local.

Qu'il y ait du sujet à partir de l'animal humain, cela veut dire : pur attachement de l'homme aux multiplicités qui le structure, aussi bien en son corps propre – l'animal – que dans les situations où ce corps est exposé. Mais, dans la singularité des situations où chacun est immergé, jour après jour, il se peut qu'advienne de notre part la reconnaissance d'autre chose que de la monotonie réglée de l'être : un événement, justement, alors occasion d'une vérité vide qui néanmoins change les situations à la mesure de ma fidélité à cet être renouvelé des choses, à cet éclat d'étant brisé. L'animal humain continuera à parcourir les multiples immanents, mais en lui le sujet, certes suturé à l'animal, vivra pour cette fulgurance, qu'il devra longuement endurer pour continuer à être l'opérateur d'une vérité.

Chacun est naturellement l'animal humain ; mais il y a du sujet en nous pour peu que nous soutenions un événement et une vérité nôtres : ce qui n'est pas facile, qui est rare, et contrarie l'animal humain, par la splendeur d'un vide dont il faut soutenir les effets locaux et concrets, l'aptitude à déstructurer et restructurer, sans *pathos* nihiliste ni fascination du vide comme tel. Le sujet est, à partir de l'animal humain, cet amour du vide qui change la structure, mais sans nier qu'on ne puisse abolir absolument celle-ci et sans contempler unanimement l'abîme d'un Vide – pris alors pour dernier Dieu.

La Différence ontologique, le Système deleuzien, et la Critique badiousienne

Badiou, ce faisant, ne surdétermine-t-il pas l'aspect premier de la pensée de Deleuze au détriment de sa maturité, en particulier en s'attachant presque exclusivement à l'idée de simulacre, dont Deleuze dira par la suite qu'il n'en a plus le goût ? C'est fort possible... Mais ce que nous voudrions mettre en lumière, c'est que l'exigence badiousienne, réquisit pour un matérialisme contemporain sans concession, explique pourquoi Badiou ne pouvait lire qu'ainsi Deleuze.

Tentons donc d'explorer formellement cette exigence, ce qui, à nos yeux, suppose de faire retour sur la question de la différence ontologique, effectivement obsédante.

A la base se tient l'amphibologie de l'Être et de l'Etant. Nous sommes redevables à Heidegger d'avoir isolé la matrice formelle fondamentale de toute pensée. Cela nous assigne trois tâches : 1) Penser l'idéalisme du Maître, de telle sorte que la question de la différence ontologique soit adéquatement posée, au-delà même des perspectives de Heidegger. 2) Montrer que le principe général d'une déconstruction se tient toujours dans une différence ontologique sévèrement pensée et confrontée aux constructions conceptuelles dont fut capable la pensée. 3) *Elaborer* – mais cette tâche est simultanée – *une théorie authentiquement matérialiste de la différence ontologique.*

Je sais bien que la phénoménologie, la tradition, n'a eu de cesse d'affirmer le mutant de sa continuité dans le dépassement de la question de l'être : Lévinas, Henry, Jean-Luc Marion. Mais je ne vois pas, en dépit du génie de ces auteurs, en quoi l'être aurait été ainsi dépassé par quelque nouvelle donne. Que signifie dépasser la question de l'être sinon restaurer à coup sûr une mystique de l'au-delà de l'être : mystique éthique pour Lévinas, de l'âme pour Henry, du don pour Marion ? Où tenez-vous que nous ne sommes plus dans l'être avec de telles conceptions ? Où trouvez-vous l'Autre de l'être sinon dans l'Être de l'autre ? Il y a nécessairement, à la fin, un tour de passe-passe dont on peut d'autant mieux faire l'économie que la pensée de la différence ontologique suffit aux vertiges et aux amphibologies, et qu'il n'est déjà pas si aisé, avec les ressources d'un langage où ceux-ci et celles-là se nouent et se dénouent, de ne pas y céder.

Le deuxième point pourrait susciter aussi quelques résistances puisqu'on sait par exemple que la déconstruction de Derrida entend déconstruire jusqu'à la position de la différence ontologique. Mais la voie de Badiou est autre – car Badiou entend précisément, à sa manière, réaliser ce triple programme. Et elle montre comment nous pouvons élaborer de stricts concepts déconstructifs, en particulier à partir des ressources mathématiques, sans céder sur la réalité de l'ontologie et de sa différence.

La critique générale de Deleuze par Badiou est donc l'exploration de l'interprétation, implicite ou explicite, que ce premier fait de la différence ontologique. Elle se déploie en quatre points, du reste intimement engagés les uns dans les autres :

1. L'être de l'étant doit toujours être compris comme vide, et ce vide doit à son tour toujours être suturé à une situation étante. Ce qui ne se conforme pas à cette double exigence réintroduit la transcendance, soit en douant l'Être de quelque énigme, soit en injectant en lui un principe immatériel de synthèse et de continuité. L'être de l'étant est transitif et vain.

Deleuze construit une transcendance en creux parce qu'il ne cesse de référer l'étant à l'être pour y trouver son principe de multiplicité : c'est le sens du virtuel et de la relation qui parcourent les étants au-delà d'eux-mêmes.

2. Contrairement à l'intuition centrale de Heidegger, il faut abandonner toute corrélation entre le temps et l'être de l'étant. Le vide de l'être est éternité laïque, le vide est la pure insensibilité au temps, qui au contraire anime nos représentations ontiques. Or, Deleuze, sans le savoir, reste pris dans le filet du romantisme du temps : sa doctrine du virtuel le montre bien. Le virtuel est pour lui la temporalité de l'être en tant qu'elle informe l'onticité multiple.

3. L'ontologie a la généralité de la légalité : la forme de toute onticité est la multiplicité mathématique, en particulier ensembliste, où le vide de l'être transparaît. Mais l'anonymat de la légalité générale prescrit des principes pour étudier localement une immanence stricte, et singulière ; elle n'a jamais le sens de l'Un-Tout, ou de la Nature. L'univocité de l'être qu'atteignent les mathématiques n'a jamais la forme d'une substance, même en creux. Au contraire, les formes du multiple dont Deleuze fait usage – le virtuel, la relation, le hasard de tous les hasards, l'événement de tous les événements, mais aussi bien le Cso cosmique, le plan d'immanence – produisent les représentations sous-jacentes d'un *continuum* immatériel de l'être et finalement d'une Nature. Et c'est précisément ce *continuum* immatériel qui autorise Deleuze à croire que les multiplicités sont toujours animées par des principes obscurs – le vitalisme, la ligne de fuite, les vitesses infinies, le dehors – au lieu d'être analysées pour elles-mêmes, dans les ressources avérées suffisant à révéler leur multiplicité réglée, leur matière mathématique.

Autrement dit : que l'étant soit l'étant de l'être autorise une théorie de la multiplicité en général – il suffit pour cela de dévider les multiplicités, c'est-à-dire de faire apparaître leur mathématisme – ; mais n'autorise nullement à plonger ces multiplicités dans un Tout ontologique dont elles dépendraient, et qui permettrait en même temps, au nom de cet Être, de les dématérialiser sans cesse dans une super-physique ; d'absenter leur présence, en jouant, comme d'un réel plus réel que la présence, d'une rhapsodie cosmique infinie, où ces choses s'impliqueraient et se développeraient, comme en une vibrante dimension ontico-ontologique.

Vitesses, rapports de forces, intensités, lignes de fuite assurent dans la pensée de Deleuze cette fonction ; tandis que le plan d'immanence, le planomène, le corps sans organe, *etc.*, recueillent dans une dimension ontologique cette fois-ci océanique le destin de tels mouvements ontico-ontologiques.

4. Comment construire le sujet matérialiste de la différence ontologique ? C'est là la plus redoutable des questions. Il se pourrait, inaperçue, que la réponse réside dans la capacité à différer la réponse. Badiou fait remarquer que le sujet du matérialisme se reconnaît à ceci qu'une pensée ne vient à lui qu'à la fin, construction la plus problématique qui soit, supposant tout le reste. L'idéalisme au contraire se donne d'emblée le sujet (Descartes, Kant) et déduit ensuite de ce corps glorieux le réel. Mais le sujet est proprement ce qui hante les manoirs effectifs de la pensée, sans jamais épouser la princesse à la fin, et son dicible ne se tient que dans l'insuffisance de toutes les constructions ontologiques.

Lorsque l'insuffisance est prise directement pour thème, ce qui suppose un grain de perversité, et beaucoup de bon sens, lorsque, mieux encore, le système est tout entier destiné à exhiber ce qui cloche en lui, alors il y a chance qu'apparaisse en feux follets quelque chose du sujet. Sauf qu'à croire que l'on jette enfin un regard droit sur ce qui cloche, on sous-estime la dite clocherie, beaucoup trop retorse pour se laisser objectiver, même en anti-essence ou en grain de sable terminal. Il y a quelque chose d'idiot ou de louche dans le sujet, qui pour cette raison échappe aux splendeurs de la philosophie.

Mais pour s'en tenir présentement à l'affrontement, on reconnaîtra premièrement dans la guise de Heidegger le sujet anthropomorphique de la différence ontologique. Nous savons bien quel effort la conception du *Dasein* revendique pour échapper à la fois à la métaphysique et à l'anthropologie, quel progrès réel, même, Heidegger accomplit dans la recherche d'une détermination non religieuse de l'homme. N'empêche : l'homme est au demeurant le gardien de l'Être, et l'Être de Heidegger est pour l'homme, de même que l'homme est à lui. Il y a un pourtant un admirable proverbe africain qui demande comment les mouches font la différence entre un cadavre et une charogne. L'homme central est celui d'une pensée pauvre de l'univers, l'épiphénomène d'une époque de la pensée occidentale à peu près révolue, et qui a pour nom principal christianisme. La faiblesse de Heidegger sur ce point se lira au passage dans les apories, tout au plus, qu'il tire de la question de l'animal.

On reconnaîtra deuxièmement dans la pensée de Deleuze le sujet naturel, en ce sens tout à fait opposé à la posture royale de Heidegger. Il ne s'agit plus du tout d'un sujet nuptial, celui par lequel on célèbre les noces de l'être et de l'étant – mais d'un sujet infiniment plus immanent à la nature qu'il ne le sait ou ne le pressent lui-même, un sujet dont tout l'effort éthique est de retrouver la nature. Ni destinataire ni donateur de l'Être de lumière qui tombe sur les étants, l'homme est néanmoins une multiplicité quelque peu remarquable par les agencements de contenu et d'expression dont il est capable, sans qu'on puisse dire qu'il y ait chez Deleuze un primat remarquable du langage dans la destination de l'homme.

Troisièmement, le sujet de Badiou : tout au contraire rare et d'exception, mais sans que cette exception doive être prise pour la marque de quelque splendeur lumineuse. Sa pensée nécessite d'abord la reconnaissance de sa stricte suture à la légalité et à la matérialité, soit l'animal mortel, ou humain, où il se peut qu'il advienne. Mais qu'il advienne, ce sujet événementiel, à partir des structures et de sa pauvreté d'animal, signifie que l'homme peut exister au-delà de cette monotonie du monde, et de son expression ontico-ontologique, réglée, aussi bien qu'au-delà de sa simple et irrécusable vie biologique : alors pour chacun de nous naît autre chose que l'atonie du lieu et de ses lois, par la vérité vide convoquée et construite en parcours infini dans les multiplicités du lieu, capable, en ses effets, de redistribuer la donne structurelle. Exception qui reste suturée à l'étant, qui ne conclut à aucune conscience absolue du réel, mais qui suffit à forcer du sens à être.

Anti-Badiou

Badiou dira volontiers du système de Deleuze que, malgré les apparences, il ne s'y passe jamais rien, si effectivement tout doit y être une inflexion particulière de l'être. C'est pourquoi le sujet de Deleuze est pour Badiou un homme mal engagé, en éthique et en politique : oui, on peut faire ceci ou cela, mais au fond tout cela n'a pas grande importance puisque l'Être se jouera de tout. Il est au contraire nécessaire à Badiou, dans sa propre logique, d'admettre une monotonie irrécusable de la structure de l'être pour avoir l'heur de pointer autre chose que celle-ci, la grâce de l'événement d'où jaillit la possibilité paradoxale du sujet. Si tout est événement de l'Evénement (Deleuze), alors autant dire que rien ne l'est et que l'Être se déploie invariablement, dans ses variations, à la manière de la substance de Spinoza ; l'événement tel que le conçoit Badiou suppose que l'on puisse au contraire épingler *ici*, *soudain*, une rupture dans l'immanence.

Mais il y aura alors un prix à payer, ou plutôt une décision à assumer, dans le dessin de la pensée : l'événement n'est-il pas une autre transcendance, verticale ? Et cette doctrine, en dépit de sa passion du vide, ne devient-elle pas l'expression d'une sorte de pensée de la grâce humaine ? Souvenons-nous que la corrélation de l'ontologie plate – matière –, du vide, et de l'humain est la croix, ou le centre de gravité, du matérialisme. Une fois qu'on a supplémenté la matière (l'étant) par le vide (l'être), il reste encore à penser l'humain dans sa spécificité – le *clinamen* de Lucrèce tentant de pourvoir à ce dernier réquisit.

Badiou, pour sa part, doit procéder selon une figure remarquable : il lui faut tout d'abord construire un champ (les multiples légaux de l'ensemblisme) ; il lui faut ensuite localiser sur ce champ l'exception ; enfin, il lui faut penser la trajectoire particulière du sujet, le fil longuement tiré de cette exception, et tel qu'il s'imprime paradoxalement sur ce champ. Bref, il y a au centre de sa pensée une certaine dualité de l'être structurel et de l'événement, dualité qui n'aurait guère de sens si elle tournait au face-à-face – puisque tout est en un certain sens dans l'être – et qui doit s'inscrire beaucoup plus finement : on explorera dans l'ontologie les effets locaux d'une méta-ontologie du sujet et de la vérité, c'est-à-dire les manières dont l'ontologie ne parvient pas à inscrire, sinon à partir des figures du vide, (indécidabilité de l'événement, indiscernabilité du sujet, générique d'une vérité, innommable du forçage) les effets de la méta-ontologie. L'événement, le sujet, la vérité dès lors s'excrivent. L'économie du système réclame en particulier que cette inscription paradoxale, ou à l'envers, en négatif photographique bien plus que dialectique, soit effets du vide, rien d'autre. Et cela est certainement tout à fait cohérent : d'où pourrait venir l'exception ? Certainement pas d'une forme particulière de la présentation des multiples, quelle qu'elle soit, puisque celle-ci ne nous ferait nullement sortir du régime de cette présentation. Reste donc le vide comme possibilité de l'événement et du sujet.

Mais alors Badiou ne doit-il pas affronter cette étrange tension qui fait que l'exception tire sa possibilité de l'être même ? Qu'est-ce que l'être, en effet ? C'est le vide. Mais qui est aussi le principe dont on attendra qu'il excrive dans l'ontologie l'exception.

Sans doute faut-il ici s'expliquer un peu mieux pour voir apparaître la difficulté. Badiou construit une « ontologie », celle qui n'admet que les multiples mathématisés, et au terme des multiples de multiples, il nomme vide le nom même de l'être. Mais ce champ préalable ne devrait-il pas être nommé ontico-ontologique ? En effet, il s'y présente toutes sortes de multiplicités, hantées par les figures du vide, et cela avant même que la question de l'événement soit posée. Par exemple : les ordinaux sont faits de vide, le vide est universellement inclus, la représentation est à la fois parade au vide et révélatrice de ce dernier. Il s'en suit que la multiplicité ensembliste décrit en réalité un champ inséparablement ontique et ontologique, tendant à un minima ontique pour un maxima ontologique. Badiou nous présente donc des multiples sur fond de vide, multiples dont il doit bien en même temps rester quelque chose, et dont il reste justement leur mathématisation structurelle.

« Ontologie » désigne donc à la fois pour Badiou : a) un champ d'analyse mathématique, très pur, où les onticités sont *quasiment* (maxima-minima) données selon leur être, bref un espace ontico-ontologique b) une doctrine du vide comme ontologie suprême, nom de l'être en tant qu'être, distingué de l'étant.

A partir de là, Badiou va montrer ce que sont l'événement et ses effets de sujet et de vérité. L'événement résulte d'une sorte de pointage du vide dans les multiples structurels ; et, de même, ses effets, sujet et vérité, seront des occurrences du vide dans l'ontologie, pour cette raison s'inscrivant dans des espèces d'indétermination.

La construction de Badiou ne peut donc exceptionnaliser l'événement qu'à la condition d'avoir présenté l'espace où cette exception apparaîtra comme une quasi-ontologie, une ontico-ontologie, sans quoi le vide ne pourrait jouer cette fonction pour le moins ambiguë, puisqu'il nous serait donné d'un coup, dans l'entièreté d'avoir à être l'Être même. Dès lors il ne pourrait être ni la cause de l'événement ni le principe de l'inscription soustractive des effets de sujet et de vérité dans le tissu dit par Badiou ontologique, mais dense en multiples pour que l'excription se fasse.

Certes, le caractère transitif de l'ontico-ontologique est un principe essentiel : il n'y a d'être que de l'étant, et d'étant que de l'être, et c'est ce qui autorise Badiou à inscrire sur ce champ ontologique à la fois des multiples (une onticité quasi ontologique) et des vides – l'ontologique proprement dit. De même, la venue événementielle suppose, à proprement parler, autre chose que le vide : l'événement est dans la forme d'une auto-appartenance, à partir d'un site au bord du vide. Sa composition n'est pas strictement équivalente au vide. Son montage est complexe, supposant une reconnaissance paradoxale et évanouissante.

Il n'empêche que Badiou constitue une ontico-ontologie, plutôt qu'une ontologie, pour pouvoir ensuite faire travailler le vide au service d'une exception événementielle et humaine. Il lui est sans cesse nécessaire de concevoir une ontologie où des structures prolifèrent, bien que tissées en dernier lieu de vide, et c'est cette ultime densité des compositions entre multiples qui lui permet de faire jaillir par contraste l'événement et le sujet, percées de cette densité et retour novateur au vide sous-jacent.

Mais si le principe de la méta-ontologie (le sujet) est celui de l'ontologie proprement dite (posant que l'être est le vide) tel qu'il bouleverse un espace ontico-ontologique, espace où l'on discerne encore quelque chose, des structures et des multiples, alors ne faut-il pas dire que c'est l'être lui-même qui est intégralement événementiel, par son pouvoir partout présent d'absenter le quelque chose, par sa puissance dévidante sous-jacente à ce qui reste d'onticité dans toute présentation ? L'exception événementielle et subjective n'est-elle pas, en dernier ressort, partout possible, dès lors qu'une structure est reconduite à sa trouée ontologique ? Et ne peut-on, toujours, reconduire des multiplicités à ce vide au nom de l'être qui est, en dernier lieu, le leur ?

Il s'en suit qu'il y a certainement dans la conception que se fait Badiou de l'événement exceptionnel un caractère hyperbolique. Si l'être est le vide transitif à une situation, chaque situation peut être en pouvoir d'événement ; et l'on ne voit guère pourquoi il faudrait maintenir à ce point un régime de neutralité légale, d'une part, et la pointe magique, ici ou là, de l'événement. Sans doute : nous n'avons d'événement, et nous ne produisons des vérités, qu'à la mesure de notre capacité à endurer dans notre animal mortel et d'opinion notre vérité de sujet ; cela n'est pas aisé. Et c'est pourquoi l'on peut, à la manière de Badiou, tenir une telle capacité pour exceptionnelle, l'événement improbable, et le sujet rare bien que l'animal constant.

Dans le cadre, cependant, d'une ontologie, les conséquences de l'analyse sont différentes :

1. Toute situation admet l'événement ; l'être de l'étant est aussi bien l'événement, pour autant qu'il ouvre de lui-même à un certain vertige entre une quelconque densité ontique et le vide en bout de course de celle-ci.

2. Il faut donc lever l'équivoque entre ontologie et ontico-ontologie. L'ontologie dit que l'être est le vide transitif à l'étant. Et c'est là tout ce qu'elle peut dire.

L'ontico-ontologie examine l'étant pour autant que celui-ci ne soit plus dans la guise de sa présentation d'opinion, où la densité du réel est à sa comble, au point que le vide y reste inaperçu ; elle est donc science des structures multiples de la composition du réel ; elle propose, du réel, une légalité au bord du vide, formelle ; mais elle doit pour cela conserver quelque chose de l'onticité, et ce quelque chose est justement la forme multiple. En quoi elle n'est pas à proprement parler une ontologie.

3. Il est possible de circuler sans cesse de l'ontologie à l'ontico-ontologie. Et c'est cette circulation qui fait que la forme de l'être et la forme de l'événement peuvent être *pour le sujet* les mêmes. En chaque chose, le vide peut être nié ou relevé.

4. Un discours philosophique implique la connexion entre l'ontico-ontologie et la persistance du vide. Il n'y a pas de champ ontologique pur ; il y a des dispositifs qui reconduisent l'étant au vide, et qui, à partir du vide immanent à tel ou tel

étant, en déploient la structure, d'abord ontico-ontologique (multiplicités), finalement phénoménologique.

Ontologie, quasi-ontologie

Matérialisme : une matière, le vide transitif, l'exception humaine. Badiou réalise ce programme mais il doit pour ce faire activer le vide à la fois au niveau de la matière (la multiplicité réglée) et de l'humaine exception. Si bien qu'il nous semble dès lors que l'hyperbole de l'événement fait renaître une grâce illusoire au regard de l'exigence d'une ontologie plate, et brouille la question de la connexion entre matérialisme ontique et matérialisme ontologique. Si chaque étant a pour dernier mot un vide immanent, chaque étant, chaque situation ont pouvoir événementiel, et l'événement, tout aussi bien, se confond avec l'indigence de l'être ; bien plutôt est-il une manière humaine de se jouer – en vain – de l'être ; tandis que l'être, vide, a toujours déjà proposé l'éclatement de la structure à l'homme. La doctrine de l'événement ne reste-t-elle pas emprunte d'un psychologisme héroïque ? Nous ne nions pas qu'il y ait des convocations au vide, pour un tel ou un tel, qui seraient bouleversantes. Mais nous ne croyons pas qu'il s'agisse là d'autre chose que d'une expérience limite de l'ambiguïté partout régnante de l'être et de l'étant. Autrement dit : l'ontologie doit de part en part admettre l'événementiel – mais l'événementiel n'est que la persistance du vide dans la platitude.

La remarquable construction de Badiou se décline donc selon ce rythme :

Badiou doit proposer un champ ontico-ontologique, qui est pour lui le mathématisme ensembliste des multiplicités. Matière du matérialisme.

Badiou doit montrer qu'un tel champ est effectivement connecté à l'ontologie *stricto sensu* puisqu'il révèle le vide originaire des multiplicités légales, c'est-à-dire le vide transitif du matérialisme.

Badiou doit admettre d'incessantes variations sur ce champ, selon la manière dont une *fonction ontico-ontologique* est activée, du vide au quelque chose, du quelque chose au vide.

Badiou doit localiser des variations tout à fait remarquables, des événements.

Badiou peut alors dessiner sur ce plan le profil du sujet, qui est finalement une aptitude à faire jouer cette fonction au profit du vide de telle sorte que le tissu ontique soit percé par cet éclat non-étant qui n'est cependant rien d'autre que le principe de l'ontologie, le vide, et dont on pourra suivre les effets dans la densité ontico-ontologique, exemplairement la trace du générique.

La construction de Badiou suppose que l'on ait atteint un champ ontico-ontologique (par son mathématisme). Elle doit supposer ensuite une dualité, tout du moins un coefficient de rupture, entre l'être et l'événement, l'être et le sujet. Enfin, elle doit mettre en torsion le principe du vide entre ces deux règnes.

Mais la démarche de Badiou est en un sens tout à fait cohérente : il faut affirmer un champ ontologique où circonscrire la construction problématique du sujet. Car l'être vient avant le sujet. Par la suite, quand paraît la difficulté proprement matérialiste de rendre compte du sujet, il faut voir avec quelle admirable économie Badiou s'y emploie, le vide lui suffisant. Seulement, si l'on attend du vide l'existence de l'exception, c'est que l'exception est aussi bien l'être en tant qu'être, et que, dès lors, le sujet n'aura été pensé préalablement que sur la surface d'une quasi-ontologie, permettant de se jouer des variations ontico-ontologiques comme d'une explication finale. L'événement est une certaine composition d'étant et d'être, et c'est pourquoi Badiou doit procéder à partir d'un champ ontologique qu'il dit pur mais qui ne saurait l'être parce qu'il doit permettre de faire apparaître l'événement à partir des effets de la différence ontico-ontologique.

La chose en question se tient chez Badiou dans la superposition de l'espace ontologique et de la fidélité ontologique. Car il y a une fidélité ontologique, assurément, si bien que l'on se demandera ce que l'espace ontologique prétendument pur doit à cette fidélité. L'espace ne le présuppose-t-il pas dès son ouverture ? Le sujet fidèle aux multiples, aux mathématiques en général, n'est-il pas dans cet espace, œuvrant pas à pas, au moment même où cet espace prétend détenir en sa pureté l'ontologie ?

Aussi bien peut-on se demander si la construction de *L'être et l'événement* ne suppose pas une sorte de partage trop franc (l'être, puis le sujet dans l'être). Le successif ne doit-il pas être révoqué au profit d'une simultanéité des effets du sujet sur la matière, et de la matière sur le sujet ? Mais, certainement, cette simultanéité aura quelque chose d'insoutenable, et c'est ce que dissimule la succession badiousienne.

Il y aurait d'autres manières de poser le problème. Deleuze fait ici retour. Sa théorie des observateurs partiels, des plans de référence scientifiques, et des fonctions a précisément cette conséquence de montrer qu'il ne saurait jamais y avoir d'espace scientifique pur – la clarté d'actualisation d'une construction présuppose nécessairement une non-thématisation agissante, et qui livre justement cette clarté en restant dans l'ombre, le virtuel n'étant jamais actualisable de part en part. Il n'y a donc pas de Fonction de toutes les fonctions, de plan de référence de tous les plans, d'observateur non-partiel. Badiou, cependant, jouera ici de son platonisme des mathématiques : la fidélité mathématico-ontologique ne construit pas ses objets ; ses opérations marquent la manière dont l'humain circule dans une ontologie qui préexiste. Il ne faut pas confondre cette circulation, plus ou moins heureuse, avec les mathématiques elles-mêmes et ce qu'elles délivrent de l'être.

Le règlement de cette difficulté par Badiou réaffirme un principe du matérialisme : il y a une matière indépendante de la question de l'homme, et qu'il faut poser avant l'homme, et qui sera pour lui la multiplicité mathématique. Mais c'est là, en même temps, un terrible espace de ré-assurance, une affirmation de quelque pureté initiale, qui s'expose au moins à l'idée que les mathématiques auraient trouvé dans la théorie des ensembles quelque chose qui s'apparente à un savoir absolu...

Quelques perspectives

Nous ne savourerons pas la difficulté sans imposer au matérialisme un sens inattendu. Peut-être n'avons-nous poursuivi, dans cette étude, qu'une question : ce que peut signifier être matérialiste aujourd'hui. Badiou et Deleuze imposent déjà une mutation certaine au concept de matière. Il ne s'agit pas de s'en tenir à la physique.

Le matérialisme est une ontologie, mais de toutes la plus dépourvue, la plus immanente, la plus tranchante. Le réduire à sa concordance avec la matière physique, c'est ne pas saisir qu'il est avant tout la lecture du jeu du sens dans le non-sens. Aussi le matérialisme contemporain doit-il tenir le pari de quelque nihilisme bien senti, mais tout à fait opposé, quant à la doctrine du sujet, à l'impuissance ou à la résignation. Sa lucidité est courage pour l'humain, et sa compréhension de la neutralité de l'être mène à l'affirmation.

Nous dirons que le matérialisme doit pour ce faire étudier les structures en les reconduisant à l'*impossible*, programme très général qui ne peut s'accomplir que si une telle analyse est en même temps une méditation sur la manière dont la signifiance trouve sa provenance dans l'a-signifiance.

Cela suppose une conceptualisation serrée de l'impossible. L'impossible n'a pas de manière primordiale, ici, le sens qu'on lui attribue par opposition au possible ou au réel. Il est le *point insoutenable* d'un réel structurel, à partir duquel cette structure se déploie. Mais il n'est pas pour autant l'indicible, un quelconque retour de la transcendance ; car l'étude des structures peut toujours en révéler les variations, dès lors que le philosophe travaille pour ainsi dire à l'envers, et cesse de croire aux fondements. Et il y aura d'infinies nuances dans l'effectuation d'une telle tâche.

En disant deux mots, très formellement, de ce point insoutenable, nous espérons esquisser une ressource capable d'entendre à la fois le vide de Badiou et le dynamisme de Deleuze. Les ontologies de Badiou et de Deleuze sont horizontales, mais l'une est locale, l'autre globale. Chaque détermination locale redonne de l'infini immanent au point, selon Badiou, tandis que chaque détermination, selon Deleuze, arrache ce point à sa clôture et l'entraîne au-delà. N'est-ce pas là deux manières de comprendre l'impossibilité du point ? Soit en le projetant au-delà de lui-même, soit en l'approfondissant jusqu'à saturation. Mais qu'est-ce qui, à la fin, décidera si l'ontologie doit admettre le dynamisme ou le mathématisme ? La question n'est-elle pas plutôt celle d'une superposition dont l'architecture est à saisir ?

Les ensembles de Badiou ne rendent pas encore raison de la coexistence mathématique/physique/biologie, qui cependant est le phénomène matériel dans une intégrité et une diversité réelles. Inversement, les recherches de Deleuze ne descendent pas, en dépit d'un bel usage des mathématiques, jusqu'à la pleine genèse déductive de son vitalisme ; il ne suffit pas de dire que le structurel est débordé par le mouvement ; il faut rendre raison de ce débordement par l'inspection minutieuse des structures d'abord déductives.

Mais un tel programme n'est réalisable qu'à la condition d'inverser la démarche rationnelle de fondation.

La fondation n'est que l'ombre de l'anti-fondation, où certes nous séjournons volontiers comme au soleil précaire, parce que l'humain est aussi bien celui qui ne peut supporter l'insoutenable du réel. Et il est bien certain que la philosophie a toujours voulu fonder, mais a toujours reçu comme sa leçon propre l'impossibilité de fonder. La pensée pense pour autant qu'elle affronte directement cette impossibilité. Mais elle ne peut le faire qu'en suivant rigoureusement les possibilités structurelles pour les reconduire à leurs impossibilités, comme à la pulsation même qui les déploie.

Aussi bien, par exemple, le centre de gravité de la logique et des mathématiques n'est-il pas la non-contradiction, mais la contradiction, en tant qu'en elle s'avère l'insoutenable dont vient le soutenable. Et, de même, ce que la déduction fait apparaître dans ses réseaux comme une nécessité a-subjective suppose en fait une sorte de phénoménologie du sujet déductif qui ne s'y laisse pas inscrire et dont l'inconsistance déductive possibilise pourtant cette consistance relative.

N'est-ce pas, à chaque instant, ou à chaque pas, qu'il y a, en termes badiousiens, quelque chose de l'ordre de l'événement qui est en jeu dans la déduction ? Ne faut-il pas en venir à l'anti-fondation généralisée pour éprouver jusqu'au bout le potentiel créatif de *L'être et l'événement* ?

Mais alors la tâche impose de sonder les ressources du déductif à la racine, et selon les formes d'abord les plus élémentaires, sans exclure *a priori* une quelconque figure humainement pensable.

Par exemple : que peut une direction en logique ? Qu'est-ce que la position, en tant que telle, d'un signe ? Qu'est-ce qu'une contradiction relative ? Y a-t-il des vitesses déductives ? Quel est le mode de manifestation du sujet dans la déduction ? Il s'agira en tous cas, toujours, de montrer, le long des concepts et des dispositifs, comment se forme un chiasme entre consistance et inconsistance, signifiance et a-signifiance. L'inspection de ce noyau formel du sens doit ouvrir par la suite à une genèse de plus en plus féconde et riche du phénomène de la signification humaine. Il est certain que dans cette perspective la question de la variabilité ontico-ontologique, soit le va-et-vient de l'étant à l'être, est centrale.

Nous appelons cette *fonction ontico-ontologique* la fonction primordiale, *fonction alpha*. La différence ontico-ontologique est en ce sens inséparable de la recherche fondamentale sur la nature de la compréhension humaine, et, en particulier, de disciplines telles que les méta-mathématiques. Son expression première, une fois dissipé l'idéalisme de Heidegger, est la transitivité du vide de l'étant. Mais il doit être aussi possible de rendre compte de certains aspects de la super-physique de Deleuze à partir d'effets ou d'interprétations de la variation ontico-ontologique.

On se demandera peut-être de quelle matière se prévaut un tel aperçu, et si celui-ci peut encore être qualifié de programme matérialiste. Badiou objecterait à ces quelques remarques qu'elles tiennent la déduction pour première, alors qu'il faut distinguer la logique et les mathématiques, la première traitant des relations possibles dans un monde, la deuxième décidant ce monde. La globalité de la démarche semble signifier au contraire que nous indistinguons la possibilité formelle et l'effectivité du réel, si bien que nous nous mouvons dans un univers idéal où il n'y a pas de différence entre possible et réel, puisque nous nous proposons de prendre pour matière première la structure rationnelle afin de reconduire de telles structures à l'a-signifiance, et de tirer de cette reconduction le déploiement infini des significations humainement possibles. N'avons-nous pas alors dérogé au principe de l'immanence matérielle, du là du monde précédant toute procédure subjective, au principe matérialiste par excellence selon lequel l'être, le monde, le réel précèdent le sujet ? Ou bien installons-nous un nouveau dispositif transcendantal selon lequel la matière est hors d'atteinte ?

Remarquons pourtant que Badiou et Deleuze doivent faire sa part à ce qui, de l'immanence, ne peut se dire. Le concept, pour Deleuze, ne peut soutenir, bien qu'il y tende, l'équation immanence = inconsistance, et sa vitesse infinie est en fait toujours en approche, de même que le plan d'immanence ne saurait s'égaler au chaos. Quant à Badiou, sa conception suppose que l'exploration des multiplicités, rigoureuse, ne puisse aller au-delà d'un certain coefficient minimal d'unification présentative. La multiplicité pure est insoutenable, tout comme le vide, en tant que tel, de l'être. L'ontologie fait plutôt symptôme de cet insoutenable. Dans les deux cas, donc, le matérialisme admet quelque impossibilité au fondement de sa matière, la dissémination pure, ou bien la vitesse absolue.

Mais c'est là, à nos yeux, le point de fascination, le centre de gravité. Et c'est pourquoi nous définissons d'abord le matérialisme comme cette capacité à envisager la signification à partir de l'a-signifiance, et la fondation à partir de l'anti-fondation. La matière est en réalité ce dont on ne peut rendre compte qu'à partir de l'impossibilité de l'idéalisme, et il faut pour ce faire investir les champs idéaux en les faisant imploser.

Ce n'est qu'au terme d'une telle démarche que l'on peut rendre à l'immanence ce qui lui appartient, à savoir d'être l'impensable dont provient toute pensée. La réalité absolue de la matière signifie que l'homme ne saurait l'épuiser ou la configurer, parce qu'elle est l'abîme même. L'envers et l'endroit entrent dans des rapports eux-mêmes à élucider, mais qui ne font pas promesse de quelque transcendance.

D'être hors d'atteinte, la platitude matérielle a précisément pour conséquence de faire naître une quasi infinité de fictions humaines. Le sans fond de l'abîme est la seule intériorité de la platitude, de même que l'ontologie n'est constituée que de quasi-ontologies.

Les fictions humaines ne sont pas pour autant des impuissances : l'idée même d'un transcendantal, de quelque nouménal, relève en dernier lieu d'une pensée globalement duale, binairement fracturée, et cela quel que puisse être par ailleurs le détail de ses analyses. Mais le dual est, comme toute forme, un abstrait au regard de la matière.

Les *fonctions fictionnelles* sont ce dont est capable l'homme, pour autant qu'il forme le *décalé* de la matière, la non-coïncidence. Ce décalé suffit à faire l'infinité du sens, bien qu'il soit en lui-même un noyau tenace d'a-signifiance, dont le "moi" est l'expression assagie. C'est pourquoi le sujet est en instance, en retard sur toute présentation : le sujet ne montre jamais que ses effets de fiction, selon une ligne d'erre. Il peut certes fictionner sa réalité corporelle – ou même psychique – dans un espace de réassurance qui, bloquant la puissance continue de l'a-signifiance, délivre justement, par ce point d'arrêt, de la signification : quelque biologie, effectivement utile. Mais il ne trouve là que la fiction de sa matérialité d'animal, et non le décalé lui-même, qui précisément a possibilisé de telles fictions. Le décalé du sujet assure nécessairement qu'il y a en toute fiction quelque chose du réel en jeu – l'efficacité des sciences s'en suit – en même temps qu'il exprime l'impossibilité d'y être pleinement. Le décalé est transitif à la matière. C'est pourquoi on ne peut dire quelque chose du sujet qu'à partir du dicible matériel, pour autant que l'exception se laisse excrire. Et de même ne pouvons-nous envisager le dicible matériel qu'à partir du décalé. Et c'est pourquoi quelque chose de la phénoménologie peut être réactivé dans un matérialisme de cet ordre.

Dans ces conditions, la question du langage reste fondamentale. Car le langage est ce qui rend aptes au sens les fonctions d'illusion humaines. Le langage est ce presque-rien par lequel le transitif de l'être de l'étant fait sens, se démultipliant. Le signifiant est la matérialité-limite à partir de laquelle le signifié peut fictionner et nous donner, par exemple, le sentiment d'une séparation du corps et de l'esprit. Le signifiant est le transitif du décalé. La fiction langagière admet elle-même des variations ontico-ontologiques car le signifié peut indéfiniment se dévider – jusqu'au vide. C'est pourquoi le Signifié de tous les signifiés est comparable à l'idiotie d'un signifiant sans signifié, qu'on le nomme "Moi" ou "Dieu".

Mémento

Si nous reprenons, un instant, pour finir, la leçon d'Epicure et de Lucrèce, nous dessinerons finalement cette inflexion :

1. Le *point d'impossible*, ou insoutenable, ou réalité de la matière.
2. La *variation* ontico-ontologique, principe du vide.
3. Le *jeu* de la signifiance et de l'a-signifiance, *clinamen.*
4. Le *décalé* comme sujet.

Loin de s'en tenir au nihilisme, un tel matérialisme, à partir de ces bases formelles, doit libérer une éthique, une politique, une philosophie de l'art, qui seront affirmations lucides.

Toutes sont jouissance du vide, plutôt que déni. L'homme est pris dans les fonctions d'illusions, et les configurations inhumaines, pour autant qu'il n'éprouve pas la transitivité constante de l'être dans l'étant, et qu'il n'en tire pas une liberté à l'égard de lui-même, qui n'est certes pas semblable à la croyance en l'ego.

Tandis que la science dévide l'étant, et ainsi expose par soustraction progressive de sa masse ontique sa structure ontico-ontologique sous-jacente, l'art est le pouvoir de mener l'étant à ce point de densité où l'étant se change, paradoxalement, en vide, et y gagne la richesse de l'indéterminé. Il est le vide en splendeur et en profusion dans la gravité même de l'étant. La politique est ce combat sans fin pour l'égalité ontologique de toutes les fictions conformes à sa propre définition, et qui se tire de l'indifférence de l'être vide.

L'éthique, enfin, est le mouvement heureux par lequel je me saisis et dessaisis de moi, au gré du vide et de la détermination que je suis également. Elle est cette invincibilité humble par laquelle je reconduis l'être à l'étant, et l'étant à l'être – et cela sans hiérarchie ni sublime.

BIBLIOGRAPHIE

Ouvrages de Gilles Deleuze

Empirisme et subjectivité, 1953, PUF.
Nietzsche et la philosophie, 1962, PUF.
La philosophie de Kant, 1963, PUF.
Proust et les signes, 1964, PUF.
Nietzsche, 1965, PUF.
Le bergsonisme, 1966, PUF.
Présentation de Sacher-Masoch, Minuit, 1967.
Spinoza et le problème de l'expression, Minuit, 1968.
Logique du sens, Minuit, 1969.
Différence et répétition, PUF, 1969.
L'anti-Œdipe (avec Félix Guattari), Minuit, *1972.*
Kafka - Pour une littérature mineure (avec Félix Guattari), Minuit, 1975.
Rhizome (avec Félix Guattari), Minuit, 1976.
Dialogues (avec Claire Parnet), Flammarion, 1977.
Superpositions (avec Carmelo Bene), Minuit, 1979.
Mille Plateaux (avec Félix Guattari), Minuit, 1980.
Spinoza - Philosophie pratique, Minuit, 1981.
Francis Bacon : logique de la sensation, 2 vol, La Différence, 1981 (Seuil, 2002).
Cinéma 1 - L'image-mouvement, Minuit, 1983.
Cinéma 2 - L'image-temps, Minuit, 1985.
Foucault, Minuit, 1986.
Periclès et Verdi. La philosophie de François Châtelet, Minuit, 1988.
Le pli. Leibniz et le baroque, Minuit, 1988.

Pourparlers, Minuit, 1990.
Qu'est-ce que la philosophie ? (avec Félix Guattari), Minuit, 1991.
L'épuisé (in Samuel Beckett, *Quad*), Minuit, 1992.
Critique et clinique, Minuit, 1993.
L'île déserte et autres textes, Minuit, 2002.
Deux régimes de fous, Minuit, 2003.

Sur Gilles Deleuze (choix) :

Eric Alliez, *La signature du monde*, Cerf, 1993.
Véronique Bergen, *L'ontologie de Gilles Deleuze*, L'Harmattan, 2001.
Alberto Gualandi, *Deleuze*, Les Belles Lettres, 1998.
Jean-Clet Martin, *Variations. La philosophie de Gilles Deleuze*, Payot, 1993.
Philippe Mengue, *Gilles Deleuze ou le système du multiple*, Kimé, 1994.
Robert Sasso et Arnaud Villani (direction), *Le vocabulaire de Gilles Deleuze*, Les cahiers de Noesis, Vrin, 2003.
François Zourabichvili, *Deleuze, une philosophie de l'événement*, PUF, 1994.
__ *Le vocabulaire de Deleuze*, Ellipses, 2003.

Ouvrages d'Alain Badiou

Romans :

Almagestes, Seuil, 1964.
Portulans, Seuil, 1967.
Calme bloc ici-bas, POL, 1997.

Théâtre :

L'écharpe rouge, Maspéro, 1979.
Ahmed le subtil, Actes Sud, 1994.
Ahmed se fâche suivi de *Ahmed philosophe*, Actes Sud, 1995.
Les citrouilles, Actes Sud, 1995.

Philosophie, essais :

Le concept de modèle, Maspéro, 1972.
Théorie de la contradiction, Maspéro, 1975.
De l'idéologie, Maspéro, 1976.
Théorie du sujet, Seuil, 1982.
Peut-on penser la politique ? Seuil, 1985.
L'être et l'événement, Seuil, 1988.
Manifeste pour la philosophie, Seuil, 1989.
Le Nombre et les nombres, Seuil, 1990.
Rhapsodie pour le théâtre, Imprimerie nationale, 1990.
D'un désastre obscur, L'aube, 1991.
Conditions, Seuil, 1992.
L'éthique, Hatier, 1993.
Beckett. L'increvable désir, Hachette, 1995.
Deleuze, Hachette, 1997.
Saint Paul et la fondation de l'universalisme, PUF, 1997.
Abrégé de métapolitique, Seuil, 1998.

Court traité d'ontologie transitoire, Seuil, 1998.
Petit manuel d'inesthétique, Seuil, 1998.
Circonstances, 1, Léo Scheer, 2003.
Circonstances, 2, Léo Scheer, 2004.
Anti-philosophie de Wittgenstein, Nous, 2004.
Le siècle, Seuil, 2005.

Sur Alain Badiou :

Charles Ramond (direction), *Alain Badiou : penser le multiple*, L'Harmattan, 2002, actes du colloque de Bordeaux de 1999.
Jason Barker, *Alain Badiou, a critical introduction*, Pluto Press, 2002.
Peter Hallward, *Badiou, a subject to truth*, university of minnesota press, 2003.
Peter Hallward (direction), *Think again : Alain Badiou and the future of philosophy*, Continuum International Publishing Group, 2004.

TABLE

Achevé d'imprimer sur rotative numérique par Book It !
dans les ateliers de l'Imprimerie Nouvelle Firmin Didot
Le Mesnil-sur-l'Estrée

N° d'impression : 80873
Dépôt légal : Août 2006

Imprimé en France